RIO
SEM LEI

COLEÇÃO HISTÓRIA **AGORA**

HUDSON CORRÊA
DIANA BRITO

RIO
SEM LEI

Como o Rio de Janeiro se transformou num estado sob o domínio de organizações criminosas, da barbárie e da corrupção política

GERAÇÃO

1ª edição — Maio de 2018

Grafia atualizada segundo o Acordo Ortográfico da Língua Portuguesa
de 1990, que entrou em vigor no Brasil em 2009

Publisher
Luiz Fernando Emediato

Editor
Willian Novaes

Diretora Editorial
Fernanda Emediato

Assistente Editorial
Adriana Carvalho

Capa e Projeto Gráfico
Alan Maia

Preparação de texto
Nanete Neves

Revisão
Hugo Almeida
Vinicius Tomazinho

DADOS INTERNACIONAIS DE CATALOGAÇÃO NA PUBLICAÇÃO (CIP)
(Câmara Brasileira do Livro, SP, Brasil)

Corrêa, Hudson e Brito, Diana
    Rio sem lei : Como o Rio de Janeiro se transformou num estado
sob o domínio de organizações criminosas, da barbárie
e da corrupção política / Hudson Corrêa e Diana Brito.
-- São Paulo: Geração Editorial, 2018. -- (Coleção História Agora)

    ISBN 978-85-8130-402-1

    1. Brasil - Política e governo 2. Crise
econômica 3. . II. Título.

16-08349   CDD: 070.44932

Índices para catálogo sistemático

1. Jornalismo político   070.44932

GERAÇÃO EDITORIAL

Rua João Pereira, 81 – Lapa
CEP: 05074-070 – São Paulo – SP
Tel.: (+ 55 11) 3256-4444
E-mail: geracaoeditorial@geracaoeditorial.com.br
www.geracaoeditorial.com.br

Impresso no Brasil
Printed in Brazil

À minha mãe, Florinda da Silva (1934-2013)

Aos meus pais, Fátima Brito e Diamantino Brito, que me ensinaram que o conhecimento passa também pela busca por conhecer-se. Ao jornalista Celso Garcia (1929-2008)

A minha mãe, Florinda da Silva (1934-2013)

Aos meus pais, Fátima Brito e Diamantino Brito, que me ensinaram que o conhecimento passa também pela busca por conhecer-se

Ao jornalista Celso Garcia (1929-2008)

Sumário

Os autores

HUDSON CORRÊA — Durante oito anos, realizou coberturas pela *Folha de S.Paulo* no Centro-Oeste, Amazônia, Brasília e Rio de Janeiro. Trabalhou na *Gazeta Mercantil* e foi *freelancer* de *O Globo* e *Jornal do Brasil*. Desde 2011, é repórter especial da revista *ÉPOCA*. Prêmio latino-americano de jornalismo sobre drogas em 2012. Finalista do prêmio Jabuti de 2010 com o livro-reportagem *Eleições na Estrada* (PubliFolha). Prêmio Amaerj Patrícia Acioli de Direitos Humanos-2017.

DIANA BRITO — Trabalhou oito anos na *Folha de S.Paulo*, principalmente na cobertura de segurança pública no Rio de Janeiro. Revelou o desvio de armas e drogas durante a ocupação de favelas do Complexo do Alemão, no final de 2010. No ano seguinte, foi uma das primeiras repórteres a chegar ao local da tragédia provocada pelas chuvas que mataram ao menos mil pessoas na região Serrana fluminense. Passou pela TV Brasil, UOL, Globo.com e Canal Futura. Fez trabalhos para a BBC Brasil na sede da emissora na capital britânica. Cobriu pela *Folha de S.Paulo* os últimos ataques terroristas em Londres, em junho de 2017.

No final da Idade Média, a cavalaria que vinha em paz descarregava as armas com disparos para o alto ao se aproximar de um castelo. Essa é a origem da atual salva de vinte e um tiros, homenagem militar ao presidente da República, a congressistas e aos juízes da Suprema Corte. No Rio de Janeiro, vinte e um tiros têm um significado mais apropriado à Idade das Trevas.

As histórias a seguir são fruto de rigorosa apuração jornalística baseada em entrevistas, documentos oficiais e incursões em várias favelas cariocas. A editora e os autores concordaram em ocultar nomes ou trocá-los por fictícios para não colocar em risco a segurança de testemunhas e para preservar a intimidade das pessoas envolvidas. Os fatos foram narrados exatamente como ocorreram.

Uma juíza tomba na noite escura

Patrícia Acioli deixou o Fórum de São Gonçalo pouco depois das 23 horas. A juíza, que condenava policiais por homicídio e combatia a corrupção na PM, mesmo ameaçada de morte, andava sem guarda-costas fazia algum tempo. Ela percorreu os corredores vazios do prédio até a garagem, sentou-se ao volante e seguiu para casa na cidade vizinha de Niterói. Na rua mal iluminada do Fórum, quase deserta àquela hora, o Fiat Idea de cor cinza passou pelas câmeras de segurança instaladas no muro alto de uma marmoraria. As lentes captaram logo atrás um Palio vinho e uma moto Falcon preta, com dois homens de capacetes e jaquetas. A vinte quilômetros dali, Patrícia entrou na antiga estrada de Itaipu ladeada por ribanceiras e matas. A via de mão dupla dividida por um gramado cheio de palmeiras torna-se, tarde da noite, local propício à tocaia de assaltantes ou de pistoleiros, mas os que seguiam Patrícia planejaram algo maior.

Bolas coloridas de plástico, tão grandes que seria difícil uma criança abraçar, enfeitavam a fachada do posto de gasolina mais próximo no caminho da juíza. Seis delas encobriam o lado direito da câmera de segurança número dois, porém, no alto do monitor, apareceu nitidamente o Fiat Idea às 23h45. Não havia mais sinal do Palio vinho. Num intervalo de catorze segundos, as imagens mostravam que apenas a moto Falcon com os dois homens continuava a perseguição.

A escuridão escondia o mar na orla de Niterói, que se sabia ali pelo rumor das ondas. Às 23h48, com faróis exageradamente altos, a moto riscou a rua como se fosse um feixe de luz. Ainda demoraria dezessete segundos para o Fiat atingir o mesmo ponto. Os homens no encalço tinham certeza de que "o alvo" ia para casa. Eles resolveram ultrapassá-la porque sabiam o endereço. Patrícia não suspeitou da manobra, dirigia absorta em pensamentos que sempre chegavam às duas filhas pequenas e ao enteado de vinte anos à espera dela.

O ônibus da linha trinta e nove circula entre o centro de Niterói e a região da lagoa de Piratininga, próxima à casa de Patrícia. Após as 22 horas, o ônibus passa nos pontos de parada em intervalos mais ou menos regulares de trinta minutos. Nas proximidades da praia de Camboinhas, o motorista viu pelo retrovisor a moto que o ultrapassava rapidamente. O Fiat Idea apareceu um minuto e meio depois na pista da esquerda para voltar à frente na faixa da direita. Pouco antes da meia-noite, os motoqueiros cruzaram a ponte sobre a lagoa. Entraram no bairro Tibau com vantagem suficiente para esperar a juíza no portão.

Espichado na cama, o caseiro de um sobrado vizinho à casa de Patrícia assistia à TV no segundo andar. Ele se levantou assustado ao escutar tiros como se estivesse no meio de uma guerra. Teve coragem o bastante para correr à janela, a tempo de ver os homens de capacete. Os dois ainda empunhavam as armas ao lado esquerdo do Fiat crivado de balas, embicado no portão da garagem. Com a respiração presa, o caseiro observou a dupla dar as costas, subir calmamente na moto e desaparecer na escuridão.

Enteado de Patrícia, Mike Douglas saiu assustado do box do chuveiro, esbarrou com a babá no corredor e com as duas irmãs pequenas em pânico. Naquele horário, a mãe costumava chegar do Fórum de São Gonçalo. Mike ganhou o quintal da casa. Ainda escutava o ronco da moto. Saltou do muro para a rua, correu em direção ao Fiat e tentou abrir a porta do motorista, mas os tiros deixaram catorze perfurações no vidro sem quebrá-lo totalmente. Mike recorreu a chutes e a socos até que a barreira trincada finalmente cedeu. Ainda assim, a porta continuou emperrada por causa do impacto das balas na lataria. Orientado por um vizinho, Mike deu a volta para entrar no carro pelo lado direito.

Patrícia levara vinte e um tiros. Seu corpo pendia prestes a cair no banco do carona. Ela vestia calça e casaco jeans sobre a blusa azul-clara, combinação que lhe dava aparência jovial aos quarenta e sete anos. Mike abraçou a mulher que considerava sua verdadeira mãe desde os três anos de idade. Segurou o choro ao telefonar para o pai, ex-marido de Patrícia. "Cara, bota... bota no banco do carona e leva para o hospital", foi o que o advogado Wilson Chagas Júnior conseguiu dizer, enquanto pegava as chaves do carro para ir ao socorro da família. Imaginava que um ou dois tiros haviam ferido a ex-mulher. Ele demorou sete minutos para chegar à casa e, pelo resto da vida, acharia que cruzou no caminho com os assassinos de moto. Wilson tentou falar novamente com o filho, mas as chamadas caíam na caixa postal. Depois de várias tentativas, Mike finalmente atendeu em estado de choque: "Não precisa mais ter pressa. Minha mãe está morta".

Na obra do prédio em construção ao lado da casa de Patrícia (talvez de onde tenha partido o barulho que, horas antes, assustara a babá das filhas da juíza), dormiam, como sempre de rádio ligado, quatro pedreiros que moravam longe dali, alguns em cidades vizinhas. Passavam as noites no canteiro de obras para só retornarem às famílias nos fins de semana. Eles acordaram com o barulho dos tiros. Algum tempo depois, ainda deitados, perceberam pelas frestas do barracão o brilho de faróis e o piscar do giroflex dos carros de polícia. Havia um murmurar confuso de vozes, mas o cansaço era maior que a curiosidade de ir à rua, e, então, eles voltaram a dormir.

* * *

Naquela noite, 11 de agosto de 2011, Patrícia se tornou a primeira juíza assassinada no Brasil. Antes dela, três magistrados brasileiros perderam a vida por causa do trabalho que desempenhavam. Em 7 de setembro de 1999, Leopoldino Marques do Amaral, de cinquenta e cinco anos, da Vara de Família de Cuiabá, foi encontrado morto, com um tiro na nuca e outro no ouvido, em uma estrada de terra na periferia da cidade paraguaia de Concepción. O corpo estava parcialmente queimado; e o rosto, desfigurado. Poucos meses antes, Leopoldino denunciara um esquema de venda de sentenças em Mato Grosso.

Quatro anos depois, em 14 de março de 2003, o juiz Antônio José Machado Dias, de quarenta e sete anos, levou quatro tiros de pistola, dois deles na cabeça, disparados de um Fiat Uno que fechou o seu Vectra preto, em Presidente Prudente, cidade do interior de São Paulo. Antônio José era corregedor de penitenciárias com poder de punir e de transferir presos por indisciplina. Esse trabalho de juiz se tornara arriscado desde que a facção Primeiro Comando da Capital, o PCC, dominou as cadeias paulistas. As investidas do magistrado contra regalias na prisão incomodaram a organização criminosa, que encomendou a sua morte.

"Não vamos nos intimidar", declarou à imprensa o juiz Alexandre Martins de Castro Filho, de trinta e dois anos, também da área de execuções penais, mas no Estado do Espírito Santo. Na manhã de 24 de março de 2003, dez dias após o assassinato do colega em Presidente Prudente, Alexandre chegava a uma academia de ginástica quando o pistoleiro desceu da garupa de uma moto. Atingiu a cabeça, o peito e o braço de Alexandre, que morreu meia hora depois no hospital. Ele também contrariara os interesses de presos ao denunciar irregularidades na transferência deles para o regime semiaberto.

* * *

Um tenente e um cabo da Polícia Militar dispararam os vinte e um tiros contra Patrícia Acioli, acusou o Ministério Público Estadual. Algumas horas antes, a juíza determinara a prisão de um grupo de policiais, entre eles os dois atiradores, acusados de extorquir dinheiro de traficantes nas favelas, matar inocentes e alegar legítima defesa. O assassinato de Patrícia era mais que simples vingança pela ordem de prisão. Ela morreu por desafiar quatro organizações criminosas do Rio de Janeiro: o jogo ilegal, o tráfico de drogas, as milícias e a banda corrupta da PM. Infiltradas no poder público, essas quatro máfias criaram um poder paralelo.

Os assassinos de Patrícia empregaram o aparato do Estado Legal na execução do crime. Usaram armas desviadas das forças de segurança. Atiraram com uma pistola do Exército e outra da Polícia Civil. Parte da munição fora surrupiada do batalhão da Polícia Militar. O tenente e o cabo seguiram "o alvo" por dezenas de quilômetros, desde o Fórum de São Gonçalo, mas agiram com crueldade na porta da casa onde estavam as filhas pequenas de Patrícia. Tanta frieza só podia ter um motivo: espalhar o terror entre os magistrados e promotores de Justiça no Rio de Janeiro.

A Polícia Civil e o Judiciário fluminense responderam logo. Prenderam e condenaram os matadores, não só os que puxaram o gatilho, mas todos os envolvidos na trama do homicídio. Porém, persistiram alguns mistérios e entre eles o principal: por que o Estado deixou sem guarda-costas uma juíza que estava ameaçada de morte fazia cinco anos?

* * *

Nas últimas décadas, enquanto governantes enriqueciam, bandidos demarcavam territórios dentro das cidades fluminenses. Favelas e bairros pobres, onde nem a polícia entra, viraram nações do tráfico de drogas, do jogo ilegal e das milícias. Policiais corruptos se tornaram o braço armado dessas repúblicas criminosas. A banda podre da PM é um fio esticado entre as demais quadrilhas: oferece segurança aos bicheiros, participa ativamente das milícias e cobra propina para fechar os olhos à venda de drogas.

Em novembro de 2016, os cariocas conheceram a ponta do *iceberg* no qual o Estado Legal encalhou. Mal o dia clareara, os agentes da Polícia Federal bateram à porta do ex-governador Sérgio Cabral, num apartamento luxuoso do Leblon, para prendê-lo por suspeita de corrupção. Os procuradores da República acusavam o ex-governador de desviar ao menos 224 milhões de reais em obras públicas, incluindo a reforma do estádio do Maracanã para a Copa de 2014. Atraídos pela movimentação da polícia, moradores do bairro da zona sul e curiosos que passavam pelo local festejaram no portão do prédio.

O esquema foi revelado nas delações premiadas de investigados da Lava Jato, a maior operação contra corrupção da história recente do Brasil. Os delatores afirmaram que assim que tomou posse, no início de 2007, Cabral teve uma conversa franca com empresários de grandes construtoras do país. Ele queria propina de 5% sobre o valor das obras públicas do Estado. Não havia receio de tratar do suborno no Palácio Guanabara, a sede do governo. No final de janeiro de 2017, numa segunda fase, a Procuradoria da República concluiu que o esquema mandara 100 milhões de dólares para o exterior.

Cabral tinha representado a esperança para a segurança pública. A partir de 2008, as Unidades de Polícia Pacificadora foram instaladas nas favelas cariocas para retomar o território dos traficantes e milicianos. Parecia que finalmente um governante — sem ligação com bandidos — resolvera combater as organizações criminosas. Segundo a Procuradoria da República, Cabral tinha sonhos de consumo maiores que a paz no Rio de Janeiro. Os procuradores disseram que ele comprou lancha, ancorada na casa de praia, investiu em joias para lavar dinheiro e até ganhou de um empreiteiro, dono de contratos com o governo, um anel da joalheria Van Cleef&Arpels, de Mônaco, avaliado em 800 mil reais e presenteado à mulher. Viveu intensamente a "ponte aérea Rio-Paris".

Enquanto isso, entregues à sorte nos morros, as unidades pacificadoras ficaram isoladas na linha de fogo dos criminosos. Também produziram um efeito colateral: a migração maciça de bandidos para outras áreas do Estado, entre elas o município de São Gonçalo, já atolado na violência. Ali, Patrícia enfrentava a corrupção da polícia somada ao descaso das autoridades, principalmente de Cabral, encastelado no Palácio Guanabara, a trinta quilômetros de distância do Fórum de São Gonçalo. Ao investigar o batalhão de policiais delinquentes, a juíza mexeu com as organizações criminosas do Estado paralelo, que, ao final, avalizou o seu assassinato.

A vereadora Marielle Franco concede a
medalha Pedro Ernesto à escritora Conceição
Evaristo, em 1º de agosto de 2017, na Câmara
Municipal de Vereadores do Rio de Janeiro.

Marielle tomba no Rio sem lei

Marielle Franco subiu à tribuna da Câmara Municipal numa tarde chuvosa de quinta-feira, pouco antes de começar a manifestação de mulheres na praça da Candelária, a alguns quarteirões dali. Diante de um plenário esvaziado, ela falava da intervenção federal decretada na segurança pública do Rio de Janeiro, quando o vereador grisalho lhe estendeu uma rosa de presente pelo Dia Internacional da Mulher. "Não vem me interromper agora, não é? Homem fazendo *homice*", sorriu. "Meu Deus do céu, obrigada", emendou ela, enquanto o colega, gaiato, se afastava. "Nós recebemos rosas, mas também estaremos com os punhos cerrados, falando da resistência contra mandos e desmandos." Um grupo de catorze mulheres aplaudiu da galeria no alto, de onde pendia o cartaz "Frente Feminista do Brasil". Oito homens ao lado mexiam no celular, impassíveis.

A vereadora agradeceu os aplausos com um piscar demorado de olhos. Esquecendo-se por um momento da intervenção federal, ela entrou no tema da violência contra a mulher. "Volto a repetir dados da Organização Mundial da Saúde. Esse quadro segue piorando, aumentou 6,5 % no último ano. Por dia, são doze mulheres assassinadas no Brasil.

O último dado que temos no Estado do Rio é o de treze estupros por dia." Um homem gritou algo da galeria. A vereadora franziu a testa, apertou os olhos e apoiou uma mão sobre a outra na tribuna. "Tem um senhor que está defendendo a ditadura e falando alguma coisa contrária? É isso? Eu peço que a Presidência proceda como fazemos quando a galeria interrompe qualquer vereador", disse ela. "Não serei interrompida, não aturo interrupção dos vereadores, não aturarei de um cidadão que vem aqui e não sabe ouvir a posição de uma mulher *e-lei-ta* presidente da comissão da Mulher nesta Casa", completou ela, elevando a voz: público feminino aplaudiu, e o grupo de oito homens silenciou mais uma vez. "Babaca", deixou escapar no microfone.

Em resposta à reclamação, a Presidência da Câmara mandou que os seguranças ficassem de olho na galeria do plenário. Interrupções como aquela ocorriam sempre na curta carreira da vereadora de primeiro mandato, eleita em 2016. "Obrigada. Infelizmente, não será a última nem a primeira vez o embate para quem vem da favela."

Marielle nasceu e se criou no Complexo da Maré, conjunto de dezesseis favelas onde vivem 130 mil pessoas (95% das cidades brasileiras têm menos habitantes do que isso). Ela dizia que "já era favelada", antes mesmo de compreender a discriminação contra as mulheres negras. "Nós somos violadas e violentadas há muito tempo, em muitos momentos", continuou, no discurso da tribuna.

Migrantes da Paraíba, os seus avós paternos estavam entre os primeiros moradores da Baixa do Sapateiro, favela da Maré, que surgiu em palafitas numa área alagada, após a inauguração da avenida Brasil, na década de 1940. Ali a família instalou um armazém, no qual, mais tarde, trabalharia o pai de Marielle, nascido no complexo. A mãe veio de João Pessoa para o Rio e se formou em direito antes de subir ao altar. O casal se acomodou primeiro no Conjunto Esperança, comunidade à ponta da Maré, e depois se mudou para área próxima à Baixa do Sapateiro. Mais velha das duas filhas, Marielle Francisco da Silva nasceu em julho de 1979.

Naquele ano, um terço dos moradores da Maré vivia em casas de um cômodo só sobre palafitas. Tábuas enfileiradas serviam de ruas. Algumas crianças morriam ao cair no vão delas ou sofriam ataques de ratazanas furiosas. Os chiqueiros de porcos espalhados entre as casas só agravavam o quadro sub-humano. Até que, em 1979, o governo militar anunciou a urbanização das comunidades e o saneamento da baía de Guanabara, que banha a Maré num trecho até hoje poluído. Os problemas não se limitavam à precariedade das moradias. Criminosos se fortaleceram na ausência do Estado.

Quando Marielle tinha um ano de vida, a violência na Baixa do Sapateiro já grassava no noticiário com as mesmas tintas de agora. Em setembro de 1980, a favela viveu um dia de terror que revela muito daquela época e também dos dias atuais. Um cabo da PM morreu baleado em confronto com quatro homens num beco da favela. Houve intenso tiroteio que deixou duas crianças feridas por balas perdidas. Os policiais reagiram com brutalidade à morte do colega de farda. Prenderam vinte e cinco pessoas, mas apenas duas eram suspeitas, e vasculharam várias casas, armados com metralhadoras e escopetas. "Bateram em muita gente inocente", contou uma moradora.

Traficantes de drogas batiam à porta das casas para se esconder da polícia, ou deixar as armas lá até a PM ir embora. Na base de muita conversa ("tenho duas filhas pequenas, não posso abrigar ninguém"), o pai de Marielle dispensava os criminosos, que naquela época ainda respeitavam moradores honestos como ele. As crianças perdiam dias de aula devido aos tiroteios frequentes. Certa vez, as meninas nem puderam sair ao portão por causa de um violento confronto que deixou vários corpos na rua em frente de casa.

Quatro décadas depois, barbáries desse tipo se repetem em várias favelas cariocas. A novidade é a intervenção das Forças Armadas na segurança pública do Rio. Decretado pela Presidência da República, em 16 de fevereiro de 2018, o controle do Exército sobre a polícia é um fato inédito na história recente do Brasil, nunca ocorrera desde a Constituição de

1988. Um general passara a interventor com plenos poderes na área de segurança do Estado. Pouco antes, o governo baixou um decreto que já permitia emprego das tropas federais em uma ou outra operação. Até aquele dia 8 de março, a intervenção parecia mais propaganda política, não fizera muita diferença, e o pior viria dali a alguns dias.

* * *

Marielle voltou ao ponto. A chuva apertara um pouco, mas a manifestação na Candelária continuava de pé. "A intervenção federal se concretiza na intervenção militar. Eu quero saber como ficam as mães e os familiares das crianças revistadas (pelos soldados). Como ficam as médicas que não podem trabalhar nos postos de saúde? Como ficam as mulheres que não têm acesso à cidade?" As operações de guerra nos morros confinam moradores em suas casas por causa dos tiroteios. Para os bandidos, basta esconder as armas por algum tempo. Quando as tropas federais saem, eles voltam a circular em bandos com fuzis e metralhadoras na mão. Vigiado por seguranças, o homem da galeria não se manifestou dessa vez, embora, com certeza, desejasse muito interromper. Na cabeça dele, girava a infame pergunta de sempre: quem essa mulher pensa que é?

Aos dezesseis anos, ela era catequista. A pastoral católica da juventude faz parte de sua formação. Um ano depois, no fervor da adolescência, começou a fugir da igreja para bailes, festas e farras com as colegas. Nessa época, concluiu o ensino médio no período noturno numa escola pública. Conquistar vaga na universidade lhe parecia improvável, então se matriculou no pré-vestibular comunitário da Maré. O plano corria bem, até engravidar aos dezenove anos e interromper o estudo para cuidar da recém-nascida. O pai da criança mudou-se para a casa de Marielle, e a família cotizou-se para comprar uma Kombi para transportar passageiros na favela. A antiga catequista agora tinha função de cobradora e, nos pontos de parada, anunciava o itinerário aos gritos pela janela. Apesar da ajuda, o rapaz deixou Marielle sozinha com a filha de colo.

Mesmo com a criança pequena, ela continuou no pré-vestibular. E, então, veio a tragédia que marcaria a sua vida. Uma colega de classe morreu atingida por bala perdida, durante confronto entre policiais e traficantes na Maré. O episódio a fez entrar para o movimento de direitos humanos. Manteve-se no caminho, mesmo após trocar a favela por um bairro próximo, em 2002, aos vinte e três anos de idade. Mais ou menos nessa época, ela conheceu um professor de história que dava aulas no ensino médio para a sua irmã. O jovem militante lecionava em presídios, promovia debates e também atuava nas favelas. Quando ele se candidatou a deputado estadual em 2006, Marielle coordenou, na Maré, a vitoriosa campanha dele. Ela passou a trabalhar no gabinete do parlamentar recém-chegado à Assembleia. Dois anos depois, assumiu a coordenação da comissão de Direitos Humanos presidida pelo deputado. Já tinha se formado em sociologia pela PUC-Rio.

Fazia 12 anos que Marielle namorava uma arquiteta. Num relacionamento entre idas e vindas, as duas resolveram morar juntas em 2016. Pretendiam se casar em 2019.

O plenário da Câmara continuava esvaziado, mas ela discursava com vontade. "No ano de 2017, houve uma lésbica assassinada por semana. *Lesbocídio* é um conceito que as mulheres lésbicas estão cunhando, assim como nós avançamos no debate com relação ao homicídio praticado contra mulheres, que se constituiu no feminicídio." A violência contra a vida é também uma mistura de racismo e machismo. "As mulheres negras, quando passam na rua, ainda ouvem homens que têm a ousadia de falar do quadril largo, das nádegas grandes, do corpo, como se a gente estivesse no período de escravidão. Não estamos, querido!" Marielle parecia se dirigir aos que tentavam interrompê-la com frequência. "Nós estamos no processo democrático! Vai ter que aturar mulher negra, trans, lésbica, ocupando a diversidade dos espaços."

Na véspera, dia 7 de março, dois homens morreram baleados e um ficou ferido na praça São Salvador, ponto de encontro de militantes de esquerda na zona sul, muitos deles conhecidos da vereadora. Houve pânico na rua apinhada de pessoas. Desde o começo da guerra entre traficantes rivais na favela da Rocinha, em setembro de 2017, a cidade ficou mais violenta em todos os cantos, mesmo na protegida zona sul. Antes da intervenção federal, circulou nos gabinetes a ideia de armar a Guarda Municipal. "Felizmente, os guardas municipais que estavam na praça São Salvador, não armados, correram para se proteger, assim como todos os outros cidadãos. Se tivessem sacado armas de fogo, certamente teriam sido assassinados e perderíamos mais vidas", disse Marielle. "Em tempo de violência, ter mais armas vai ser uma retirada de direitos. A saída é ter condições dignas para esses trabalhadores e trabalhadoras."

As ideias de Marielle despertaram ódio.

* * *

Em junho de 2014, ainda sem sonhar em ser vereadora, Marielle se ocupava com sua dissertação de mestrado, que, mais tarde, se mostraria quase profética. Naquele momento, os tanques de guerra rangiam nas ruas malcuidadas do Complexo da Maré. O Exército e a Marinha despejaram 2.500 soldados nas favelas com a missão de abrir caminho para a Unidade de Polícia Pacificadora, a UPP, que o governo prometia instalar em breve. Diziam que era território estratégico em época de Copa do Mundo e da Olimpíada de 2016, porque a Maré fica à beira das principais vias expressas da cidade (a avenida Brasil, a Linha Amarela e a Linha Vermelha) de acesso ao Aeroporto Internacional do Galeão. Marielle já coordenava a Comissão de Direitos Humanos, instalada numa sala fria e sem luz do sol na Assembleia Legislativa. Nem precisava consultar os arquivos para entender o que acontecia. Afinal, ela nascera na Maré, perdera amigos assassinados lá e ali concentrava a sua militância política. "Operações de pré-UPP na Maré, onde uma tragédia não apaga a outra", anotou Marielle.

Ela se lembrou de uma situação trágica ocorrida um ano antes de o Exército chegar. O Bope e a Tropa de Choque da PM fizeram uma operação na favela Nova Holanda, dentro do Complexo da Maré, no dia 2 de maio de 2013. À caça de criminosos, os policiais entraram em algumas casas deixando toda a mobília de pernas para o ar. Vizinhos alertaram um conhecido fotógrafo cadeirante da comunidade, que havia saído à rua algum tempo antes. "Arrombaram a sua porta." Parecia rastro de furacão. "O fogão e o botijão virados, gás escapando. Gavetas quebradas, o rádio no chão. Minha câmera fotográfica, meu instrumento de trabalho, eles jogaram no vaso sanitário." Também vítima, um professor disse que os soldados nem sequer tinham mandados de busca e ainda tentaram roubar. Ele conta que um dos policiais colocou no bolso da farda as notas de euro e libra, economia de uma viagem. "O senhor pegou meu dinheiro", reclamou. "Ah, toma essa porcaria", devolveu o PM, com desprezo, percebendo que o morador era bem instruído e seria arriscado ficar com o dinheiro. As denúncias repercutiram em todos os jornais. Por causa delas, um morador teve que sair do país, com apoio da Comissão de Direitos Humanos.

Quase dois meses depois, em 24 de junho, moradores da Maré protestavam na avenida Brasil, na altura do bairro de Bonsucesso, contra o aumento da passagem de ônibus. O segundo semestre de 2013 começara com manifestações de rua em todo o país. "Mas ali não era Copacabana, e sim zona norte", alertou Marielle. A PM cometia abusos contra muitos jovens, alguns deles mascarados que promoviam quebra-quebra na cidade, a tal ponto de bancos e lojas instalarem tapumes para se proteger de pedradas. Nas passeatas da zona sul e na praça da Cinelândia, a polícia se valia de gás lacrimogêneo, *spray* de pimenta e dezenas de balas de borracha para dispersar a multidão.

Mas, na Maré, a PM usaria munição letal. Os policiais atiraram sob a justificativa de que bandidos infiltrados entre manifestantes saqueavam o comércio e roubavam motoristas. O batalhão local pediu reforço ao Bope, e a intervenção da tropa de elite terminou em banho de sangue. Dez pessoas morreram. Entre as vítimas sem ligação com o tráfico, estavam um sargento do Bope, um garçom alvejado quando servia as mesas e um adolescente de dezesseis anos. A polícia afirmou que os outros sete mortos tinham ficha criminal, tanto que apreendeu três fuzis, uma submetralhadora, granada, três pistolas e alguma quantidade de drogas. Mesmo assim, logo surgiram suspeitas de execução porque três haviam morrido com tiros nas costas.

No dia seguinte à matança, jornalistas que cobriam o trabalho de peritos da Polícia Civil puderam sentir na pele o drama da Maré. Eles ficaram encurralados na favela Nova Holanda, no meio de mais uma troca de tiros entre policiais e criminosos. O complexo de favelas planas fatiado por ruelas estreitas e repletas de puxadinhos de casas é uma enorme zona de risco, quase fatal para quem não conhece o terreno, já que os tiros podem partir de qualquer beco. Os policiais ordenavam aos berros que todos se jogassem no chão, ou fossem para trás de algum poste de luz e contassem com a sorte, pois não se sabia a direção dos disparos. "Minha reação foi rastejar para me proteger. Havia deixado o colete à prova de balas no carro do jornal. Sempre o achei desconfortável e pesado para uma fuga rápida, além de não ter preparo para isso", lembra uma repórter. "Naquela hora um silêncio tomou conta de mim como se o tempo tivesse parado. Sabia que estava vulnerável e que tudo podia terminar ali." Ao final, ninguém saiu ferido por algum milagre. Imagine, então, o terror que os moradores de lá vivem todos os dias.

"Resta a seguinte dúvida sobre a chacina no Complexo da Maré: o objetivo foi vingar a morte do policial?" A pergunta de Marielle continuou sem resposta. "O tráfico é cruel, violento e massacra a vida dessas comunidades, mas o Estado não pode competir com o tráfico, disputando quem tem mais capacidade de ser violento." A dissertação do mestrado de Marielle estava certa: "Uma tragédia não apaga a outra". Em novembro de 2014, sete meses após a ocupação das Forças Armadas, um cabo do Exército morreu baleado na cabeça, a primeira baixa militar na pacificação de favelas cariocas. A morte se soma a tantas de policiais militares assassinados em serviço ou durante assaltos, quando os ladrões descobrem a farda ou a carteira funcional.

As tropas bateram em retirada da Maré em junho de 2015. Exatamente dois anos depois, durante audiência no Senado Federal, o Alto Comando do Exército fez a seguinte avaliação: "Vimos nossos soldados atentos, preocupados, armados nas vielas. E passando crianças, senhoras. Estávamos apontando arma para a população brasileira. Somos uma sociedade doente. E lá ficamos catorze meses. Uma semana depois que saímos, tudo havia voltado ao que era antes. Temos que realmente repensar esse modelo de emprego, porque é desgastante, perigoso e inócuo". Passados oitos meses, um governo surdo a essa reflexão decretou a intervenção federal.

* * *

A roda de conversa com mulheres negras começou por volta das 19 horas, em 14 de março, na Casa das Pretas, um sobrado no bairro boêmio da Lapa. Pouco amenizavam o calor as três grandes janelas de madeira, mesmo escancaradas. Apresentadora do encontro transmitido ao vivo pelo *Facebook*, Marielle se abanava de vez em quando com um leque de papel, fazia comentários sobre as discussões e passava o microfone para as participantes. Uma delas lembrou que naquele dia se completavam 104 anos do nascimento da escritora Carolina de Jesus, que morreu em 1977, deixando livros sobre a vida miserável na favela do Canindé, onde ela morou em São Paulo. "Eu denomino que a favela é o quarto de despejo de uma cidade. Nós, os pobres, somos os trastes velhos", escreveu Carolina. Marielle levantou os braços para o alto e chacoalhou as mãos abertas, como se louvasse a escritora.

Após uma hora e quarenta minutos de conversa, a vereadora encerrou a reunião, lembrando uma frase da autora norte-americana de origem caribenha Audre Lorde, que ela já mencionara na tribuna da Câmara, em 8 de março: "Eu não sou livre enquanto outra mulher for prisioneira, mesmo que as correntes dela sejam diferentes das minhas". Repetiu o trecho em inglês para aplausos das amigas.

Um carro suspeito estacionou em frente à Casa das Pretas, pouco antes de Marielle chegar ao local, e lá ficou até ela sair. Acostumada a viajar ao lado do motorista, Marielle abriu a porta da frente do carro, pegou uma pasta e preferiu se acomodar no canto direito do banco de trás. Ao lado da assessora, ela escolheria as melhores fotos da roda de conversa. Os homens no encalço a seguiram por três quilômetros até um trecho de rua sem câmeras, então fecharam o seu carro. Marielle levou quatro tiros na cabeça. O motorista também morreu atingido por três disparos nas costas. Em baixa velocidade, o carro continuou andando, até que a assessora, única sobrevivente, puxou o freio de mão.

Enquanto este livro ia para a gráfica, os investigadores afirmavam que os criminosos usaram balas desviadas da Polícia Federal e atiraram com uma submetralhadora calibre nove milímetros, restrita às forças de segurança. Outros bandidos já haviam utilizado parte da munição roubada da PF em atrocidades pelo país. Em agosto de 2015, as dezessete vítimas da chacina da região de Osasco, a maior da história de São Paulo, morreram alvejadas por balas do mesmo lote, na ação de um grupo de extermínio formado por policiais. A munição desviada também serviu para assassinar cinco pessoas na guerra do tráfico de drogas em São Gonçalo, cidade onde atuava a juíza Patrícia Acioli.

Os assassinos de Marielle afrontaram a intervenção das Forças Armadas num Rio sem lei.

PARTE 1.

A MÁFIA DOS JOGOS

PROTOCOLO 093 Normalizado 216
7

LAUDO
DO
ESQUADÃO ANTIBOMBA

LAUDO TÉCNICO Nº ▮▮▮▮▮

CONCLUSÃO:

Pelo exposto no exame do local, dos veículos, fragmentos recolhidos e trabalho realizado pela detonação no corpo da vítima fatal nos, técnicos em explosivos e desativação de artefatos explosivos e incendiários chegamos às seguintes conclusões:

1 – Trata-se efetivamente de um atentado a bomba, ocorrido no cruzamento ▮▮▮▮▮▮▮▮▮▮▮▮▮▮▮▮ com Alfredo Balazar, em frente à cabine do Corpo de Bombeiros, registrado na Divisão de Homicídios sob o numero ▮▮▮▮▮▮▮▮▮▮ praticado com a detonação de um artefato explosivo de fabricação caseira, confeccionado tecnicamente correto. Pela composição o artefato foi acionado por ligação telefônica feita para o numero do celular que fazia parte do engenho explosivo, composto com alto explosivo que funcionou perfeitamente, de modo intencional tendo a onda de detonação penetrada no interior do veículo, propagando em todas as direções, causando o seguinte:

CAPÍTULO 1.

A BOMBA NO CARRO DO ACUSADO DE CHEFIAR A MÁFIA DOS JOGOS

O Barão podia escolher a BMW, a caminhonete Mercedes-Benz ou o Corolla estacionados na garagem, mas só tomaria a decisão momentos antes de sair de casa: não queria ser um alvo previsível. Nem mesmo a equipe de segurança sabia em qual carro entraria o chefe quase cinquentão, estatura média, braços musculosos tatuados, sobrancelhas espessas, cabelos curtos e grisalhos na têmpora. Acusado pela Procuradoria da República de operar jogos ilegais, Barão e sua família tinham a proteção diária de cinco policiais militares. O serviço rendia 1.270 reais por quinzena a cada um, pagamento em dinheiro vivo, bem melhor que o salário líquido de 590 reais da PM. Após um plantão de vinte e quatro horas, o policial descansa por até três dias. Muitos deles fazem "bico" de guarda-costas durante a folga.

Naquela manhã de abril de 2010, o chefe se preparava para ir à academia de ginástica com o filho. Durante a semana, ele preferiu sair de casa na caminhonete Mercedes por causa do tempo chuvoso. Mais alto, o veículo evitava problemas com a enxurrada em ruas repletas de bueiros entupidos. A quinta-feira amanheceu sem chuva. Barão desceu do apartamento no luxuoso condomínio de frente para o mar, na zona oeste do Rio de Janeiro. Optou então pelo Corolla blindado. No dia seguinte, deitado na cama de um hospital, ele diria ao delegado de polícia que a sua escolha fora aleatória. [1]

Era um homem que se entregava pouco ao convívio social, precavido nas trincheiras da guerra pelo controle das máquinas caça-níqueis. Ele dizia não ter rotina "na vida profissional e nem pessoal". Alguns conhecidos sabiam que mantinha dois compromissos quase certos: a malhação na academia de ginástica instalada num *shopping*, das 9 às 11 horas da manhã, e a partida de futebol num ginásio de esportes, às 19 horas das quintas-feiras. Os dois lugares ficavam próximos ao seu apartamento, e ele sempre desfrutava da companhia do filho.

O rapaz, que completara dezessete anos recentemente, tinha motorista particular, mas não esperaria o próximo aniversário para dirigir o carro. Pediu para assumir o volante. O pai concordou, sentando-se no banco do carona. A caminho da academia, os dois estavam animados para a partida de futebol à noite. Carnaval e futebol sempre foram duas paixões da família, especialmente do patriarca, o Poderoso Bicheiro já falecido.

No carro logo atrás, seguiam três policiais militares à paisana. Zero Um, Zero Dois e Zero Três iam aprumados no Vectra. Também de serviço naquele dia, outros dois policiais ocupavam outro Vectra, porém chegariam mais tarde à academia de ginástica. Antes, eles precisavam escoltar um funcionário do Barão até um escritório em Ipanema, na zona sul carioca, onde deixariam uma mochila supostamente cheia de documentos.

A entrega do material era mais um lance misterioso nos negócios da família. Os segredos envolviam os carros usados pelo *staff* de segurança, que estavam em nomes de terceiros, possivelmente para evitar o rastreamento por inimigos do chefe. Até mesmo o Corolla, que o filho dirigia naquele momento, pertencia no papel a um sujeito completamente estranho ao garoto. Tratava-se de um aposentado, de setenta e oito anos, acusado de bater na mulher, de trinta e quatro anos, com a qual tivera três filhos. Segundo depoimento da vítima, o ex-marido inconformado com a separação ameaçou: "Eu vou te matar, não aceito que você fique com outro. Tenho amigos na contravenção. Eles podem te matar e não vai dar nada pra mim".[2]

O rapaz não conseguiu estacionar em frente à entrada da academia. Todas as vagas ali estavam ocupadas. Achou espaço num dos cantos laterais do estacionamento do *shopping*. Começou a manobrar, enquanto Zero Três e Zero Dois desceram do Vectra atrás do Corolla, atentos a movimentos suspeitos. O Barão saiu do carro segurando os celulares que usava, obviamente para dificultar escutas telefônicas legais ou ilegais. Sem querer ostentar a coleção de telefones nem ser incomodado durante a malhação, pediu que Zero Três guardasse os aparelhos no Corolla.

Zero Dois e Zero Três foram ao vestiário trocar de roupa. Como clientes da academia, os dois também malhariam para não perder de vista o patrão. A rígida segurança exigia fiel proximidade. Enquanto isso, Zero Um — o terceiro guarda-costas que ficara ao volante do Vectra — havia se acomodado no saguão do *shopping*, de onde saía apenas para fumar ou falar ao celular. Duas horas depois, como de hábito, o rapaz subiu ao piso onde ficava a lanchonete. No caminho, Barão esbarrou com um homem conhecido, trocou algumas palavras com ele e, finalmente, sentou-se à mesa com o filho. Zero Três trouxe as chaves do carro, sinalizando que estava na hora de voltar para casa. Passava do meio-dia, quando a comitiva deixou a academia.

Os dois seguranças que entregaram o pacote na zona sul juntaram-se aos colegas antes de o grupo partir. Zero Um — o que ficara no saguão do *shopping* — entrou no Vectra com eles. Zero Dois e Zero Três — os que malharam — seguiram sozinhos no outro Vectra. De repente, o *staff* viu um Fiat Stilo surgir ao lado do Corolla. Novamente, o filho guiava o carro do pai. Os guarda-costas identificaram uma ameaça. Numa manobra de proteção, imediatamente se colocaram entre o Fiat e o Corolla. Mais adiante, os três veículos pararam no sinal vermelho da via expressa. Os policiais ficaram tensos como se subissem uma favela repleta de criminosos armados, rotina da PM no Rio de Janeiro. E se o motorista do Stilo fosse um pistoleiro, em vez de um simples técnico da área de informática, como de fato era? Desconfiados, os seguranças ainda observaram uma moto com bagageiro na garupa parar mais à frente.

Acomodado no banco do carona, Barão checava as ligações não atendidas durante o tempo na academia. O primeiro número caiu no sinal de fax. Isso seria estranho para a maioria das pessoas porque os aparelhos com aquele ruído estavam quase aposentados. Não chegava a ser surpreendente para aquele homem apaixonado por carnaval. Em fevereiro, as escolas de samba receberam por fax as reservas para camarotes do desfile na Marquês de Sapucaí. Ao fazer a segunda chamada, um forte estrondo deixou Barão atônito. "Acho que o celular explodiu", ele chegou a dizer ainda aturdido, mas o filho já não estava ao volante para ouvi-lo. Havia apenas fumaça que mal deixava ver o painel inteiramente retorcido do carro.

Parado ao lado do Corolla, o Vectra dos seguranças pegou fogo. Nisso, os guarda-costas saltaram do carro para se protegerem atrás de um poste ou placa de trânsito. Não temiam apenas as chamas e a fumaça asfixiante porque se imaginavam na mira de armas pesadas, mas tiros não provocariam aquela destruição em volta, eles sabiam. As labaredas lambiam a moto que os ultrapassara momentos antes. O violento deslocamento de ar jogou o Stilo para a frente; despedaçou o vidro traseiro do Peugeot que passava próximo.

Barão tentava sair do Corolla, mas a porta emperrada o impedia. "Sai patrão, sai patrão", gritou Zero Um, percebendo que o carro do chefe fora o mais atingido na explosão. Ele retirou o patrão pela janela. Espalmou a carteira de PM diante do Ford Fiesta que imediatamente parou. Acomodou Barão no banco de trás, sentou-se ao lado dele e mandou o jovem motorista de vinte anos seguir a toda a velocidade para o hospital particular não muito distante dali. Irritado com o rapaz, que desacelerava perto dos radares, Zero Um assumiu o volante e pisou fundo, despreocupado com as multas de trânsito.

Com o rosto ferido, Barão sangrava. O sangue lhe cobria a boca, borbulhava e pingava do queixo, mas sem que ele se importasse. Só queria saber do filho, sobre quem perguntava sem parar. No início da confusão, o guarda-costas lhe dissera que o garoto sobrevivera, mas agora ficava em silêncio. Por quê? "Liga para o meu filho, liga para o meu filho", insistia o chefe. Zero Um finalmente balançou a cabeça, lamentando.

Barão deu entrada no setor de emergência do hospital por volta das 13 horas. Os cinco policiais que atuavam como guarda-costas prestaram depoimento na delegacia e ficaram detidos no quartel da Polícia Militar. Sete meses depois, o Comando da PM os expulsou, a "bem da disciplina". Eles alegaram que faziam segurança apenas para o filho e não para o pai, mas o argumento não convenceu os oficiais da corregedoria. Os investigadores entenderam, porém, que os cinco não cometeram nenhum crime ao fazer segurança privada, mesmo para um suspeito de contravenção[3]. Cinco anos depois, os policiais recorreram à Justiça tentando voltar à polícia.

* * *

A explosão da bomba lançou o rapaz ao mesmo tempo para trás, para o alto e da esquerda para a direita. Ele caiu mutilado próximo ao canteiro central, a um metro e meio da roda traseira do lado direito. As queimaduras profundas confundiam sua pele com o tecido da bermuda que usara na malhação. Foi difícil os médicos legistas distinguirem a tatuagem gravada no ombro, parecida com a do pai.

Três dias após o atentado, peritos da Polícia Civil reviravam no pátio da delegacia o que restara do Corolla. Buscavam pistas sobre o tipo de explosivo usado, ou algo que pudesse identificar os criminosos. Bruscamente, os investigadores se afastaram assustados. Avistaram dentro do carro o pé com parte da tíbia esquerda da vítima[4].

* * *

A bomba foi instalada no piso do Corolla, do lado de fora, trinta e cinco centímetros à frente do banco do motorista para matar quem estivesse ao volante. Seria o Barão, se o filho não lhe tomasse a direção. Embalado em PVC (o material dos canos de plástico), o explosivo estava misturado a esferas de aço que multiplicaram o poder de destruição. A explosão abriu um buraco de setenta centímetros de diâmetro na lataria.

Uma chamada de celular detonou a bomba. O criminoso pode ter acompanhado o carro a distância, escolhendo o momento de ligar para o telefone atado ao explosivo. Acionou na frente de um posto do Corpo de Bombeiros. Parecia um local adequado para dificultar a investigação do crime. No cálculo frio do terrorista, os bombeiros poderiam apagar o incêndio com jatos de água, os quais espalhariam as peças capazes de identificar "o DNA" da bomba. E eles fizeram exatamente isso.

Com muita dificuldade, os peritos da Polícia Civil coletaram destroços na área ao redor da explosão e dentro do carro destruído. Levaram uma amostra do "quebra-cabeça" ao Consulado dos Estados Unidos, que possui equipamentos para identificar componentes de uma bomba. A leitura deu positiva para Tatp (triperóxido de triacetona), cuja velocidade de detonação pode chegar a mais de cinco quilômetros por segundo[5]. Foi coisa de profissional.

Composto semelhante foi encontrado na casa dos responsáveis pelo atentado ao metrô de Londres, em 2005, que matou cinquenta e seis pessoas, entre elas os quatro suicidas. O Brasil também ficaria chocado, e não só pelo ataque em si. Alguns dias após a tragédia, a polícia britânica matou um brasileiro inocente. O jovem de vinte e sete anos levou sete tiros na cabeça. Os policiais o confundiram com um terrorista.

Fabrica-se o Tatp com ácido sulfúrico adicionado a produtos de uso doméstico, como água oxigenada e acetona. Embora os componentes sejam acessíveis em supermercados ou farmácias, a confecção do artefato não está ao alcance técnico de qualquer pessoa. O homem que instalou a bomba no carro tinha conhecimento variado. Entendia de eletrônica, sabia muito sobre telefonia e, claro, possuía experiência no planejamento de uma emboscada.

O celular grudado à carga explosiva, ao receber uma ligação, emitiu corrente elétrica que provocou a detonação. Para manter carregada a bateria do telefone pelo tempo necessário, o criminoso conectou o aparelho aos fios elétricos da sonda lambda, peça da injeção eletrônica que mede a quantidade de oxigênio no escapamento do carro. O sistema interpreta a medição e decide se injeta menos ou mais combustível no motor. Agora o equipamento servira também para alimentar o celular, mantendo-o ligado.

O atentado guardava semelhanças com outro ocorrido seis meses antes, a mais de trinta quilômetros de distância. Às 3 horas da madrugada, em outubro de 2009, o Esquadrão Antibombas chegou ao bairro da zona norte carioca. A bomba instalada trinta centímetros à frente do banco do motorista explodiu em uma caminhonete Hilux blindada. O veículo percorreu 160 metros deixando um rastro de sangue até bater no poste que então o fez parar.

Daquela vez, a polícia não identificara o tipo de explosivo, mas concluiu que também fora detonado por meio de um celular, conectado a um sistema elétrico composto por duas baterias. O conjunto estava num invólucro de PVC com ímãs de imenso poder de aderência, geralmente utilizados em discos rígidos de computadores.

O motorista da caminhonete era um 2º sargento da Polícia Militar. Ele perdeu a perna esquerda. Trabalhava na Delegacia de Repressão a Armas e Explosivos. Também fazia "bico" no *staff* de segurança do Barão, segundo diz a Polícia Federal. O atentado não teve grande repercussão. A opinião pública carioca estava tomada pelo ufanismo naquela sexta-feira. No início da tarde, na praia de Copacabana, 15 mil pessoas festejavam a vitória do Rio para sediar as Olimpíadas de 2016.

* * *

Veterano do Esquadrão Antibombas da Polícia Civil, o perito lembra na aparência e gestos o ator norte-americano Morgan Freeman, só que um pouco mais baixo e mais magro. Ele trabalha faz trinta e três anos no esquadrão. Numa época remota, desativava bombas com alicate e chave de fenda. Os colegas lhe dirigem frequentes elogios, mas o perito finge que não é com ele, tranquilamente sentado numa cadeira na delegacia, relaxando os pés nos chinelos, antes que o telefone toque com algum chamado de emergência, e ele precise calçar a bota.

A bomba no carro do Barão foi "instalada e não colocada", diz o perito. Para alguém leigo não parece haver grande diferença entre uma coisa e outra, mas o experiente policial tem explicações convincentes. Na Hilux, o criminoso "colocou" o explosivo com o uso de um ímã potente, procedimento menos complexo. No Corolla, a bomba ficou "instalada" no sistema elétrico, que passou a alimentar a bateria do celular usado na detonação. Fazer isso é tarefa que leva mais tempo, e o serviço ocorreu no pátio do *shopping* da academia de ginástica ou na própria garagem do Barão.

No dia da explosão na Barra da Tijuca, o perito correu para o local com outros policiais do esquadrão. Quando chegaram ao epicentro da nuvem de fumaça, eles ficaram bastante preocupados. "Parecia um carnaval. Repórteres e curiosos, todos em volta do carro. Em outro país, o local ficaria isolado por, no mínimo, quinze dias", diz o perito.

Havia o problema adicional da forma como o incêndio foi apagado. Depois que a bomba explodiu, os carros começaram a pegar fogo. Os bombeiros não tiveram tempo de eliminar as chamas no início. Em pouco tempo, as labaredas só poderiam ser contidas por jatos de água. A pressão da mangueira arremessou longe os destroços da bomba e, com isso, pistas sobre o criminoso. Vinte dias depois, o perito ainda voltaria ao local à caça de peças para sua investigação. Ele é incansável.

"Nesses casos, descobrir o que aconteceu é como montar um quebra-cabeça ao contrário", diz o inspetor de polícia que no dia da explosão chefiava o esquadrão. Havia uma dificuldade adicional. Enquanto vasculhavam o local atrás das peças, o inspetor e seus colegas não tiveram paz para trabalhar. Policiais alheios à perícia transitavam de um lado para o outro. O guarda de trânsito insistia em liberar a passagem de veículos, pois aquela era uma avenida de muito tráfego. O perito não teve dúvidas. Quebrou o asfalto na área ao redor dos carros queimados, juntou os pedaços e colocou tudo dentro de oito sacos plásticos pretos, daqueles usados para transportar vítimas de assassinato. Levou o material para a sede do esquadrão antibombas, onde tentaria montar o quebra-cabeça.

O Rio acabara de enfrentar um atentado a bomba, algo parecido com o que ocorre em países visados por terroristas, mas, naquele momento, os policiais fluminenses não estavam preparados para agir acertadamente. Depois do ataque, os inspetores do esquadrão fizeram palestras para os colegas de outras áreas de investigação. Queriam frisar a necessidade de preservar os cenários de crimes como aquele. O país não está tão alheio como se imagina a ações extremistas, segundo um relatório sigiloso da Polícia Federal: "A ocorrência com utilização de explosivos pode indicar uma escalada nos métodos violentos do crime organizado na disputa por territórios para exploração e domínio, bem como nas retaliações contra seus opositores ou até mesmo contra forças estatais. Em diversos países, esse estágio já foi alcançado e vitimou agentes da lei, membros do Ministério Público e do Judiciário".

O relatório de julho de 2010 era quase uma premonição do assassinato da juíza Patrícia Acioli, que ocorreria um ano depois.

Apesar das dificuldades, os peritos concluíram que o artefato era realmente do tipo usado por terroristas internacionais. Chegaram a detalhes do que ocorreu: o ferimento no rosto de Barão foi provocado pelo impacto do braço do filho, quando o rapaz voou do banco do motorista.

CAPÍTULO 2

O JOGO DO BICHO CRIA
UM TRIBUNAL PARA JULGAR
DISPUTAS INTERNAS DA
ORGANIZAÇÃO

O Barão procurava mentalmente o inimigo, fixando o olhar no teto branco do hospital. Mais de uma década antes, outro atentado também custara a vida de um membro da família. Como esquecer o assassinato a tiros do seu primo, filho do Poderoso Bicheiro? O velho, que era tio de Barão, morrera de ataque cardíaco um ano antes do homicídio. O filho herdeiro não tinha o charme e a elegância do pai, que com esses atributos romanceava o jogo ilegal. O bigodinho fino que margeava a boca pequena, os óculos pendurados no pescoço e o relógio de ouro conferiram ao herdeiro a aparência comum de contraventor. Ele negava a pecha, dizia-se engenheiro com endereço de trabalho em duas salas de um prédio, na zona oeste.

Havia a coincidência geográfica entre os dois crimes. O herdeiro foi atingido por cinco tiros na mesma avenida e a onze quilômetros do local onde a bomba explodiu. Barão lembrava-se bem dos detalhes pois o acusaram de encomendar o assassinato. Ele sempre jurou inocência com dramaticidade. Até chorou quando um repórter lhe informou que a polícia, ao investigar o homicídio, suspeitava de uma briga em família pelo controle dos jogos ilegais[6]. Agora, naquela cama do hospital, o Barão desconfiava que a bomba fosse vingança injusta contra ele, pela morte do herdeiro.

Outra perturbadora coincidência é que, assim como a explosão no carro, o assassinato também pareceu cinematográfico. Saído das sombras, o pistoleiro se aproximou do banco de passageiros do jipe parado no sinal vermelho. Acertou o rosto, o pescoço, as costas e duas vezes o peito do herdeiro com uma pistola nove milímetros, de uso restrito das Forças Armadas. Para não deixar testemunha, alvejou também o motorista, dessa vez com oito disparos. Sempre frio, o assassino rendeu um caminhoneiro que passava no local. Sentou-se no banco do carona: "É polícia, acelera, acelera". O homem obedeceu sem reagir, pois o pistoleiro de fato ostentava uma carteira da PM, e não era falsa.

O Poderoso Bicheiro acabara com a guerra entre os contraventores do Rio, mas ironicamente a sua morte levaria a um confronto entre os seus herdeiros. A Polícia Federal diz que o Príncipe, genro do Poderoso Bicheiro, ficou com os caça-níqueis, o que teria desagradado o Barão, sobrinho do velho, contemplado com as bancas do jogo do bicho. O Barão e o Príncipe, então, começaram um confronto dentro da família, afirmam os investigadores. Incomodado com a partilha, o filho do velho Bicheiro foi a primeira baixa da guerra[7].

Acusado de encomendar o assassinato, Barão passou a temer por sua vida logo nos anos seguintes. Em 2001, um fuzileiro naval que fazia trabalho de pistoleiro emergiu de surpresa, e armado, de debaixo da cama no apartamento onde Barão se encontrava com a namorada. Se não morreu de susto, também não morreria baleado. A arma engasgou, houve luta no quarto, e o agressor fugiu.

No dia seguinte à explosão da bomba, ainda no hospital, Barão prestou depoimento sobre a morte de seu filho. Não indicou ao delegado suspeito algum do crime. Duas semanas depois, portanto já rezada a missa de sétimo dia, a Divisão de Homicídios ouviu Barão novamente. Dessa vez, ele disse que "não podia imaginar outra pessoa com interesse em sua morte", senão Príncipe. Lembrou que, vinte dias antes do atentado, esbarrara com o desafeto no Fórum de Bangu, bairro da zona oeste, onde os dois participariam de uma audiência, provavelmente relacionada à contravenção. Contou que Príncipe o viu chegar ao prédio no Corolla blindado, o mesmo que foi pelos ares matando o filho.

* * *

Faça chuva ou faça sol, a mulher e o homem grisalho anotam apostas do jogo do bicho na calçada a poucos metros do Palácio do Catete, na zona sul carioca. Sentados lado a lado em duas cadeiras de madeira, eles apoiam no colo a prancha onde ficam os maços de dinheiro, o bloco de notas, as maquininhas que emitem os canhotos e a tabela com resultado dos sorteios. Os apostadores fazem fila para apostar. O agitado ponto do casal é uma dessas ironias da história. Antiga sede do governo federal, com cinco águias de bronze ameaçando voar do terraço, o Palácio do Catete virou Museu da República. Quando dava expediente no prédio de três andares, o presidente Getúlio Vargas assinou a Lei das Contravenções Penais, em outubro de 1941. Um dos artigos determina a prisão de bicheiros de quatro meses a um ano. Estabelece também "multa de dois a vinte contos de réis" — algo entre 2,4 mil e 21,4 mil reais, na cotação de novembro de 2016.

Somente na década de 1990, as autoridades de segurança pública concluíram que o jogo do bicho supera a mera contravenção, prevista na caduca lei de Getúlio ainda em vigor. A atividade envolve crimes graves como lavagem de dinheiro, assassinatos e corrupção de policiais. Trata-se de uma poderosa engrenagem que movimenta ilegalmente centenas de milhões de reais por mês, segundo estimam a Polícia Civil do Rio de Janeiro e o Ministério Público Estadual[8].

As acusações nunca afastaram os apostadores nem atemorizaram os "apontadores" do jogo, que anotam os palpites sentados em cadeiras na calçada, em bancas de revistas, barracas de camelôs, lojinhas ou barezinhos de cerveja e refeições baratas. A loteria clandestina requer alguma familiaridade com a lista de vinte e cinco animais. Cada um deles corresponde a quatro números em sequência: o avestruz vai de 1 a 4; a águia, de 5 a 8; o burro, de 9 a 12; a borboleta, de 13 a 16; o cachorro, de 17 a 20 e, assim por diante, até chegar à vaca, de 97 a 100. Há uma gama de combinações para apostar. No palpite mais simples, o jogador escolhe um bicho à espera de que o número do animal seja o sorteado. O resultado pode ser conferido em postes, árvores, muros da cidade e em páginas criadas pelos bicheiros na internet.

* * *

A história do jogo do bicho começa nos tempos do Império brasileiro, em 1888, quando o barão João Batista Viana Drummond criou um zoológico em Vila Isabel, bairro da zona norte. No ano seguinte, os republicanos tomaram o poder com assuntos mais urgentes do que os animais enjaulados para tratar. Drummond precisava tocar o empreendimento sem ajuda do governo, apenas com a venda de ingressos. Ele teve uma ideia para atrair o público. Ao pagar pela entrada, o visitante recebia um bilhete com o número que correspondia a um bicho. No final do passeio, ocorria o sorteio. O bilhete premiado rendia uma soma em dinheiro ao seu portador. Deu avestruz na primeira rodada, em julho de 1892.

O barão não podia imaginar que, em cinquenta anos de República, o seu invento viraria contravenção penal e, nas décadas seguintes, se transformaria num negócio de máfia. Os bicheiros espalharam bancas de apostas pela cidade, ganharam dinheiro e dominaram bairros inteiros. Logo, cada chefão queria tomar o espaço do outro. A guerra entre eles resultou numa onda de violência no Rio de Janeiro, nas décadas de 1950 e 1960. Para eliminar os rivais, cada lado contratava pistoleiros filiados ao "sindicato do crime", como narravam os jornais da época. O conflito esmoreceu no início da década de

1980, quando um bicheiro liderou a criação da cúpula do jogo do bicho com pacto de não agressão[9].

O Poderoso Bicheiro usava óculos de lentes enormes, sobre o nariz achatado, com as hastes seguras no par de orelhas avantajadas. Tinha o rosto miúdo e esticava ao máximo os lábios finos, quando sorria. Repartia o cabelo cinzento para o lado deixando fios na testa. Magrinho, elegante, sempre de terno e gravata, ele virou celebridade ao triunfar em duas grandes paixões dos cariocas: o samba e o futebol. Ganhou três títulos do carnaval no período de sete anos entre as décadas de 1980 e 1990. Dirigiu o time vice--campeão brasileiro naquela mesma época.

O sucesso o motivou a dar entrevistas com desenvoltura à imprensa. Alternava gírias com palavras mais sofisticadas. Logo depois de ganhar o carnaval, contou a um apresentador de TV que a sua avó, dona de uma banca do jogo do bicho no bairro de Bangu, apresentou o negócio à família. Durante a conversa, lembrou-se do episódio em que foi rendido por ladrões em sua casa de veraneio: "Eu disse que, se o problema era dinheiro e joias, eles tinham ido ao lugar certo. O terceiro ficou surpreendido: 'Meu Deus do céu, é a casa do doutor, pintou sujeira'. Eu dei uma sorte muito grande porque o assaltante me reconheceu, pediu desculpas e foi embora". Em seguida, o notório bicheiro negou qualquer ligação com a contravenção, arrancando gargalhadas da plateia[10]. Naquela época, ninguém via o jogo como prática criminosa.

Mas a Justiça fluminense não achava a menor graça. Numa sentença histórica de 1993, a Justiça condenou o Poderoso Bicheiro a seis anos de reclusão por formação de quadrilha. Só que não seria fácil mantê-lo na cadeia. Com bons advogados, ele convenceu os tribunais de que a sua saúde andava frágil demais para o rigor do cárcere. Conseguiu ficar em liberdade vigiada. Estava totalmente enganado, porém, se imaginou que a vigilância seria frouxa. No começo de 1994, o Ministério Público Estadual apreendeu, em sua mansão, uma lista de pagamentos que somavam 1 milhão de dólares. Os promotores de Justiça concluíram que grande parte da quantia era propina a policiais corruptos e caixa 2 para campanhas eleitorais — o esquema de políticos desvendado, em 2016, pela Operação Lava Jato, da Polícia Federal, já funcionava naquela época com a contravenção.

O Bicheiro teve a prisão decretada outra vez, mas desapareceu do mapa. Seria capturado apenas quatro meses depois, ao visitar uma feira de automóveis em São Paulo. Não resistira à sua grande paixão por carros de luxo. Segundo os jornais, ele usava um Mercedes-Benz cujas placas combinavam as letras MU com os dígitos 99, em referência ao mugido da vaca e ao número desse animal no jogo do bicho.

Os advogados argumentaram novamente que o cliente sexagenário enfrentava problemas de saúde, precisamente uma cardiopatia. Agora a batalha nos tribunais seria longa. O Bicheiro ganhou o direito à prisão domiciliar após quase dois anos na cadeia. Restava-lhe, de fato, pouco tempo de vida. Sofreu um enfarte aos setenta e um anos. No campeonato carioca da temporada seguinte, o troféu disputado pelos times seria batizado com o seu nome, mas a federação de futebol recuou da homenagem por causa da repercussão negativa. As investigações do Ministério Público tiraram o *glamour* do jogo do bicho. Àquela altura, porém, o charme pouco importava aos chefões.

* * *

Os bicheiros do Rio transformaram a contravenção numa empresa. A venda e a transferência das bancas de apostas passaram a ser feitas, "preto no branco", por meio de documentos registrados em cartórios ou de recibos assinados pelo vendedor, que fornecia os números da identidade e do CPF. As transações só ocorriam com aval da cúpula dos bicheiros, como explicou uma viúva de oitenta e dois anos ao fazer a partilha de suas bancas entre o filho e os netos. Ela declarou ao tabelião que agia de acordo com "os senhores banqueiros, integrantes do colegiado, que preside e dita as normas éticas garantidoras da correta, honesta e escrupulosa exploração do jogo do bicho neste Estado"[11].

O registro em cartório não evitava disputas. Para resolver brigas internas, os bicheiros criaram um "tribunal", batizado de Clube do Barão de Drummond, homenagem de mau gosto ao inventor acidental do jogo. Numa correspondência de 15 de fevereiro de 2005, interceptada pela Polícia Federal, um contraventor pede "aos diretores do Clube" solução para a desavença entre ele e os irmãos. Ao que tudo indica, esse contraventor pertencia a uma antiga família de bicheiros.

Ele relata na carta que seu pai o autorizara a explorar os caça-níqueis. Conta as dificuldades para se estabelecer na atividade. Diz que amargou prejuízo de 127 mil dólares, quando agentes federais apreenderam parte de suas máquinas. Logo surgiram concorrentes de fora e na própria família. Os irmãos decidiram entrar no ramo eletrônico. Com o tempo, passou a temer mais a cobiça em família que as investidas da polícia. O contraventor era do tempo do Poderoso Bicheiro, a quem recorreu para bancar um grande prêmio que ameaçava quebrar a sua banca do jogo do bicho. Os sócios não tinham como pagar a aposta, mas o velho os salvou. O contraventor sofria do mesmo mal de saúde do Poderoso Bicheiro, a cardiopatia. Acamado, ele viu os irmãos lhe tomarem um generoso naco dos negócios.

Na carta ao "tribunal", o contraventor fez o seguinte apelo: "Senhores diretores, é justo que depois de todo o sofrimento, de tanto trabalho, de tanto transtorno, tantos problemas superados, eu aceitei a proposta feita pelo [meu irmão] de ficar [só] com 10% das máquinas e do bicho? Acreditando na coerência, na idoneidade e no bom senso dos membros da diretoria, não tomei nenhuma atitude drástica para fazer valer os meus direitos. Espero ser reconduzido ao lugar que é meu de fato e de direito, de onde fui tirado de forma covarde e ardilosa por meus dois irmãos"[12].

A briga revela que os bicheiros enxergavam nos caça-níqueis a mina de ouro. Para possuí-la, estavam dispostos até a cometer fratricídios. As disputas familiares resultavam em mortes, à medida que o negócio progredia. No final da década de 1990, os contraventores espalharam as máquinas eletrônicas pelo Rio de Janeiro e pelo país. Não apenas nos ambientes fechados dos cassinos clandestinos, mas também em bares, padarias, mercearias e restaurantes. Por falta de espaço, parte das máquinas ficava nas calçadas. Algumas eram semelhantes às que se viam em Las Vegas; outras se pareciam mais com *jukeboxes*, as antigas caixas de música.

Era uma atividade mais arriscada do que explorar o jogo do bicho, delito menor e mal reprimido pelas autoridades estaduais. Os caça-níqueis entravam no radar da Polícia Federal. Para operar as máquinas, os bicheiros cometiam o crime federal de contrabando, sujeitando-se a uma pena de dois a cinco anos de reclusão. As peças de computador que registram as apostas chegam ilegalmente ao Brasil. A principal delas, chamada de noteiro, lê o valor da cédula de dinheiro, confere sua autenticidade e envia as informações à central de processamento por meio de sinais elétricos.

Operadores do jogo eletrônico também se envolvem em outros crimes. Subornam autoridades que, por sua vez, extorquem dinheiro deles. A história de um deles ilustra bem a relação promíscua. Ele gravou em vídeo a conversa que teve com um dirigente da Loteria do Estado do Rio de Janeiro, em 2002. Naquela época, as loterias estaduais tentavam legalizar os caça-níqueis. Na gravação, o dirigente pede dinheiro em troca da regularização e se dá muito mal, pois o contraventor gravava todas as suas reuniões. Era tão meticuloso que temia ser filmado de volta. Quando precisava dizer algo importante, escrevia a mensagem em um papel. Com a mão em formato de concha, aproximava a folha dos olhos do interlocutor por alguns segundos: "Leu? Entendeu, entendeu?". Em seguida, usava o picotador de papel sempre ao seu alcance para eliminar pistas.

O dirigente deixou o Rio de Janeiro para assumir um alto cargo em Brasília no Palácio do Planalto, onde despachava o recém-empossado presidente da República. Um ano depois, em 2004, a imprensa divulgou o vídeo daquela conversa gravada dois anos antes pelo contraventor. Abalado pela suspeita de corrupção do funcionário, o presidente assinou uma medida provisória que proibia os caça-níqueis. Freava também as iniciativas dos governos estaduais de legalizá-los. Os contraventores tinham dado um tiro no pé, mas não desistiriam.

Três anos depois, em 2007, as investidas chegaram à família do presidente. A Polícia Federal acusou de tráfico de influência o seu irmão mais velho. Ele caíra em escutas telefônicas feitas pelos agentes federais pedindo dinheiro a um empresário paranaense que explorava caça-níqueis: "Oh, arruma dois paus pra eu". Os investigadores achavam que o irmão do presidente recebia dinheiro em troca de ajuda na legalização das máquinas. O simplório não sabia onde se metera. Teve a casa revistada e ainda levou uma senhora bronca do presidente.

No verão de 2018, as bancas do jogo do bicho — como a do homem grisalho perto do Palácio do Catete — continuavam a funcionar nas calçadas dos bairros cariocas. Os caça-níqueis desapareceram dos locais públicos; quando muito são vistos em favelas e bairros onde a polícia não entra. Não quer dizer que a atividade chegou ao fim. Pelo contrário, as máquinas funcionam em cassinos clandestinos, com fachada de residência, guardados por segurança na porta, geralmente policiais militares de folga. Homens da PM viraram o braço armado dos chefões, agora donos de um negócio milionário. A Polícia Federal apreendeu, em 2007, documentos sobre a arrecadação de parte dos caça-níqueis em funcionamento no Rio. Os papéis contabilizam uma receita de até 30 milhões de reais, em apenas um mês[13].

CAPÍTULO 3

NA GUERRA DOS CAÇA-NÍQUEIS, UMA VIDA VALE MENOS DO QUE UMA GARRAFA DE UÍSQUE

O ex-policial militar de codinome Cobra ganhou fama de pistoleiro ao matar o filho do Poderoso Bicheiro. Voltou para casa após o crime como se nada tivesse acontecido, na certeza de que jamais seria pego. Permaneceu livre por dois meses até a Polícia Civil capturá-lo usando o método mais simples: um retrato falado feito com ajuda de testemunhas do homicídio. O Tribunal julgou o caso sem demora e, por coincidência, dois dias antes da missa de um ano de falecimento de sua vítima, o ex-policial foi condenado a quase dezenove anos de prisão. O cárcere, porém, não afrouxaria seus laços com a máfia dos jogos.

Trancafiado no antigo presídio Frei Caneca, no centro do Rio, Cobra falava ao celular como se estivesse em casa. Com tanta conversação, ele caiu em grampos da Polícia Federal, que investigava suspeitos de operar máquinas caça-níqueis. Numa noite de setembro de 2006, às 21h45, ansioso em sua cela, telefonou para Sem Cérebro, um cabo dos fuzileiros navais reformado aos trinta e quatro anos, que respondia a sete processos por homicídios, mas permanecia em liberdade. Cobra tinha um assunto urgente:

— Não vai te agradar muito o que tenho pra falar, mas até eu estou tonto, cara.

— O que houve? — quis saber Sem Cérebro.

Algum comparsa das ruas transmitira a Cobra uma informação sobre a sua ex-mulher. A notícia viera fresca e cortante. Naquele momento, J. estava na festa de aniversário da filha, de três anos, nascida do relacionamento entre os dois. Até aí, nada de mais. O problema era quem a acompanhava.

— [Você sabe] quem está sentado na mesa de minha mulher? Um daqueles três caras que tiveram aquela parada no bairro Guadalupe. Não se sabe se o PM ou bombeiro, qual dos dois. Ela está de frente para o cara. Quer ir dar uma olhada nessa porra? — perguntou Cobra. Os agentes federais, que faziam as escutas telefônicas, logo descobriram que o homem na mesa com J. era aliado de Barão e, por tabela, um inimigo de Príncipe. Não se tratava apenas de ciúmes da mulher bonita e ainda jovem, de vinte e sete anos. Havia o receio de que ela, muito a par dos negócios do ex-marido, fosse agora uma informante do grupo de Barão.

— Se Papai souber disso aí, ele vai ser radical, cara! — respondeu Sem Cérebro. "Papai" era uma referência a Príncipe, segundo relatório sobre as escutas feito pela Polícia Federal.

Ainda naquela noite, em novo telefonema para Sem Cérebro, Cobra disse que conseguira mais detalhes sobre o homem com a ex-mulher. Mandara até a irmã anotar a placa dos carros estacionados em frente ao salão de festas. As notícias vinham agora de convidados do aniversário.

— É um moreno de óculos. Lembra dele? É bombeiro ou PM. Está sentado na mesa da minha mulher e tomando meu uísque. O filho da puta com ela. Só de saber que o cara está no aniversário da minha filha, estou puto já. [Gastei] 3.500 reais para fazer a festa, e o cara está tomando meu uísque.

Na época, a quantia era, de fato, uma pequena fortuna para um presidiário. Vinte minutos depois, em outra ligação para Sem Cérebro, Cobra pede para o comparsa tomar alguma providência.

— Vou deixar a festa rolar. Minha mulher está tomando uísque com o cara. Meu uisquezinho, que eu comprei. A gente vai ter que resolver isso, cara. Da melhor forma possível, o mais rápido possível. Não quero nem entrar muito em detalhes, mas tem que resolver ela logo.

Por volta de 22h30, Sem Cérebro telefonou para Príncipe, diz o relatório da PF. Contou que J. estava com "um elemento de óculos", o mesmo homem que destruíra máquinas caça-níqueis do grupo e, em seguida, se escondera em um posto policial no bairro de Guadalupe.

— Depois falamos com calma sobre isso — respondeu o outro, lacônico[14].

Numa manhã de outubro de 2006, dezenove dias após a conversa de Cobra com Sem Cérebro, J. andava de bicicleta com a filha acomodada numa cadeirinha junto ao guidão, quando foi atingida por tiros, um deles na cabeça, já em frente à sua casa na Baixada Fluminense, região vizinha ao Rio de Janeiro. A criança caiu com metade do corpo preso à bicicleta e se agarrou chorando ao corpo ensanguentado da mãe.

* * *

As escutas telefônicas não foram o suficiente para a polícia evitar o assassinato. "Quando os áudios foram detectados, não havia elementos que permitissem prever que aconteceria um delito", lamentou o delegado federal responsável pela investigação que grampeou os telefonemas da quadrilha. A filha de J. passou a viver com a avó materna, após uma intensa disputa judicial por sua guarda. (Aos nove anos, em 2012, quando a vimos, a menina branquinha de cabelos compridos e olhos negros continuava traumatizada com a morte da mãe.)

* * *

Cobra morreu no hospital penitenciário de câncer no pulmão, aos quarenta e dois anos, segundo o atestado de óbito de abril de 2008.

Um bom epitáfio seria: "O homem que abalou o submundo da máfia dos jogos". Ele foi acusado de matar o filho do Poderoso Bicheiro e complicou, na Justiça, os dois herdeiros do velho, que brigavam pelo controle do jogo.

Logo após ser preso, Cobra afirmou que matou a mando do Barão. Ele disse que ganhou uma recompensa em dinheiro em troca do serviço de pistoleiro. O Ministério Público achou coerente o depoimento, homologou a delação premiada e denunciou o suposto mandante. A Justiça condenou Barão a quase vinte anos de prisão, mas a sentença de maio de 2002 seria derrubada alguns anos depois. Barão argumentaria que Cobra trabalhava, na verdade, para o Príncipe, seu arqui-inimigo, segundo as escutas telefônicas da Polícia Federal[15].

Enquanto não provava a inocência, Barão ficou foragido da Justiça durante três anos. Os policiais o prenderam apenas em setembro de 2006, quando ele voltava da região serrana fluminense, onde possuía um sítio. Era conhecido pelos vizinhos como "doutor", um homem reservado, mas que atraía a curiosidade por sua criação de bichos exóticos. A propriedade abrigava um zoológico com lhamas, alpacas, cervos africanos e avestruzes, entre outras espécies. O "doutor" procurava ser diferente de Barão pelo menos na aparência. Usava cabelos compridos, cavanhaque e lentes de contato que mudavam a cor dos olhos. Nada que o tornasse irreconhecível para os agentes federais.

No mês seguinte, a Justiça Estadual determinou a prisão de Príncipe. Não tinha a ver com a morte de J., mas os telefonemas de Cobra alimentaram inúmeras suspeitas da polícia contra o genro do Poderoso Bicheiro. Ele foi parar na cadeia sob acusação de tentar matar um sargento da PM, homem supostamente do grupo do Barão. Por volta das 5h45, os policiais bateram no condomínio de luxo na zona sul carioca. Acompanhado da mulher e dos filhos, Príncipe ainda vestia pijama no apartamento que tem uma bela vista para a Pedra da Gávea. Enquanto os agentes revistavam os quartos, ele teve tempo de tomar banho e se vestir. Caminhou até o carro da polícia de óculos escuros com o paletó dobrado nas mãos escondendo as algemas. Ao mesmo tempo, do outro lado da cidade, na zona oeste, os policiais prendiam Sem Cérebro, também suspeito da tentativa de assassinato.

Assim, os herdeiros do Poderoso Bicheiro acabaram na prisão praticamente ao mesmo tempo. A Justiça fluminense queria vê-los bem longe do Rio. Transferiu os dois para o presídio federal a 1.500 quilômetros de distância. Na fortaleza de celas individuais, o Príncipe e o Barão sofreram com o regime disciplinar diferenciado, previsto em lei federal. Eles reclamaram do rigor que parecia insuportável diante da vida luxuosa no Rio. Tinham direito a apenas duas horas diárias de banho de sol e a visitas semanais restritas a duas pessoas, com duração também de duas horas. Era impossível o acesso a um celular. As informações do mundo externo chegavam minguadas, trazidas pela mulher ou parentes. As câmeras de segurança seguiam vinte e quatro horas por dia cada passo dentro das celas. Num presídio como esse, Cobra não pediria ao telefone uma solução para a ex-mulher.

Mas Barão e Príncipe sobreviveram. Em setembro de 2008, cinco meses após a morte de Cobra, os dois conseguiram na Justiça a transferência de volta para o Rio. Não ficariam mais isolados em celas individuais. Poderiam topar um com o outro nos corredores, pois habitariam a mesma ala da penitenciária de Bangu, reservada a presos considerados menos perigosos ou com curso superior. Durante o banho de sol, num sábado, eles iniciaram um bate-boca que terminou em agressão. Trocaram socos, pontapés e rolaram no chão. Os outros internos assistiram ao confronto sem interferir. A administração do presídio puniu os brigões com uma semana na solitária[16].

Havia um delegado entre os presos que assistiam à briga, e não era qualquer um. Por seis anos, o Comissário mandou na polícia do Rio de Janeiro. Agora estava trancafiado também, acusado de envolvimento com operadores das máquinas caça-níqueis, o que ele negava. Se quisesse, o Comissário apartaria a briga com seu físico de guarda-roupa. Além do mais, ele ainda era uma autoridade policial, já que o governo só o expulsaria da polícia alguns meses depois.

O jogo ilegal sempre precisou da proteção de policiais corruptos. Numa investigação de 2007, agentes federais concluíram que existia um grupo de "delegados jóqueis" na polícia do Rio: oficialmente eles tinham as rédeas, mas não o comando das delegacias; eram levados pela força dos interesses da máfia dos caça-níqueis. O Ministério Público Federal acusou o Comissário de liderar o esquema em troca de propina, um dinheiro sujo que ele lavaria com a compra de imóveis e carros. Os investigadores afirmavam que os "jóqueis" davam cobertura especialmente ao Barão.

O Comissário era um prodígio que começou a carreira na Polícia Militar, frequentou a escola de formação e chegou à patente de oficial. Ele ganhava R$ 1.200 e ficou atraído pelo salário de delegado, que era o triplo: R$ 3.700. Cursou então uma faculdade de direito no Rio. Passou em primeiro lugar no concurso para delegado estadual. Logo foi escalado para missões importantes na década de 1990, quando o sequestro era o crime que apavorava o Estado. Ainda na casa dos trinta anos, ele chegou ao posto de comissário, cobrando eficiência: "Não vamos aliviar para ninguém"[17].

O delegado enfrentou a primeira suspeita de ligação com o jogo ilegal ainda na época da PM. Em março de 1994, atrás de provas contra o Poderoso Bicheiro, um grupo de investigadores invadiu a fortaleza do contraventor. Segundo o Ministério Público, uma lista escrita pelo bicheiro indicava pagamento de propina a trinta e oito oficiais da Polícia Militar, entre eles o Comissário. A Auditoria Militar o absolveu da acusação, mas houve uma série de recursos, até que o Superior Tribunal de Justiça encerrou o caso, em 2011. Dezessete anos desde a incursão na casa do Poderoso Bicheiro, se algum crime ocorreu, já estava prescrito[18].

Após a carreira bem-sucedida na polícia, o Comissário trilhou o caminho da política com uma candidatura a deputado. Fracassou, voltou ao trabalho na delegacia, elegendo-se numa segunda tentativa. A sua vitória, porém, estava comprometida por novas acusações de envolvimento com o jogo ilegal. Não tardou muito, a Polícia Federal prendeu o Comissário.

Ao atravessar o portão do presídio de Bangu, ele não era mais deputado porque os colegas haviam cassado o seu mandato. No tempo de sobra da prisão, o Comissário leu atentamente a cópia do volumoso inquérito contra ele, anotando em boa caligrafia o que seriam as falhas na investigação. O Superior Tribunal de Justiça mandou soltá-lo após um ano na cadeia, tempo suficiente para ver a troca de socos do Barão e do Príncipe. A guerra entre aqueles dois homens fora a sua desgraça. Um ano depois de ele ganhar a liberdade, a Justiça Federal condenou o Comissário a quase trinta anos de prisão por corrupção, formação de quadrilha armada e lavagem de dinheiro[19]. Ele recorreu da sentença em liberdade. Conseguiu o registro da OAB para trabalhar como advogado. Sempre negou envolvimento com os contraventores. A quem lhe perguntasse ele dizia que a investigação da Polícia Federal não passou de uma farsa, uma armadilha, montada por policiais desafetos e opositores de seu grupo político.

No primeiro semestre de 2009, na mesma época em que o Comissário deixou a cadeia, o Príncipe e o Barão também conseguiram um *habeas corpus* no Superior Tribunal de Justiça. Passaram a recorrer em liberdade da sentença que os condenara. A Justiça aplicou aos dois a pena de dezoito anos de prisão por formação de quadrilha armada, corrupção ativa e contrabando dos componentes de caça-níqueis[20]. Os advogados se concentraram em derrubar a punição. Procurando esquecer o cárcere, Barão retomou a vida. Alguns meses depois, o seu carro foi pelos ares.

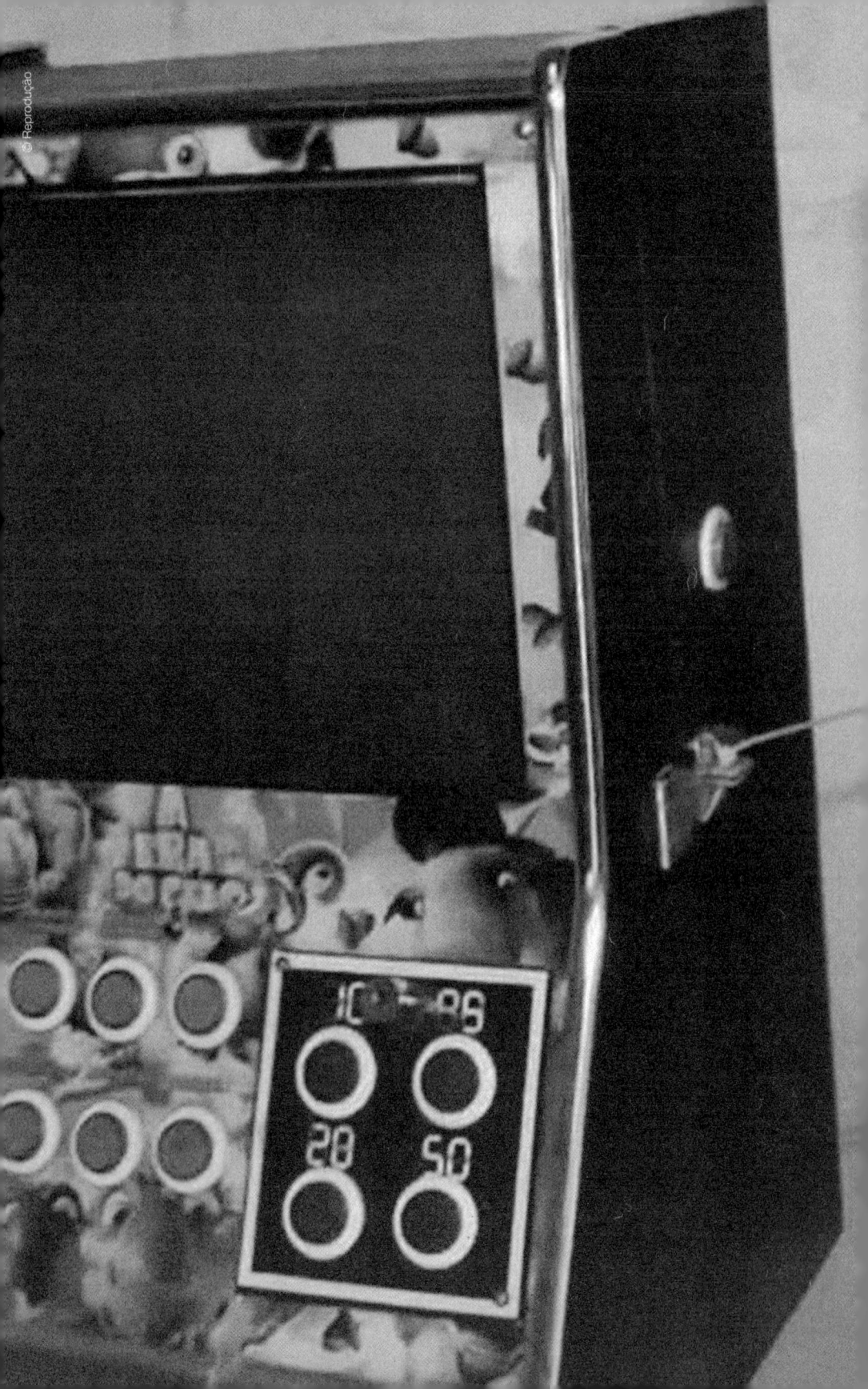

CAPÍTULO 4.
"O BOM, O MAU E O FEIO": A HISTÓRIA DO ISRAELENSE SUSPEITO DE PLANEJAR UM ATENTADO A BOMBA

O relatório da Polícia Federal sobre o atentado a bomba parece um roteiro de cinema. A PF diz que membros da família do Poderoso Bicheiro contrataram dois israelenses para vingar a morte do filho do velho, assassinado por Cobra. Homem procurado pela Interpol, o Israelense teria aceitado a missão encarregando o seu Compatriota de instalar o explosivo. As linhas seguintes do relatório descrevem cenas de um filme de ação: Compatriota entra no pátio do *shopping* da academia de ginástica sem ser visto. Para driblar os seguranças, rasteja entre os carros estacionados até chegar ao Corolla de Barão. Instala a bomba na lataria, embaixo do banco do motorista, e serpenteia de volta[21].

No mesmo documento, os policiais federais acusam um sargento do Exército brasileiro de fornecer o explosivo. O militar não está mais neste mundo para se defender. Suspeito de traficar armas, ele foi morto numa operação da Polícia Civil, três meses após o atentado a bomba. Os agentes alegaram que o militar reagiu à prisão durante o cerco ao motel onde ele se hospedara e que pertencia a um bicheiro. A PF levanta a hipótese de "queima de arquivo". Para a máfia dos caça-níqueis, seria melhor que o sargento estivesse morto.

Em seu escritório, no centro do Rio, o advogado ouve a história e desdenha da suspeita contra o Israelense: "Não é crível que um cidadão venha ao Brasil, estabeleça residência e matricule seus filhos numa escola tradicional, quando seu objetivo é executar um crime de homicídio contra um suposto e temido contraventor". O advogado apimenta o caso: "Os defensores que me antecederam sustentavam fervorosamente, e tinham lá suas razões para isso, a tese de uma articulada perseguição, capitaneada pelo *Federal Bureau of Investigation* e pela polícia israelense". O FBI e Israel visariam à máfia Abergil, que inunda festas de jovens americanos com as pílulas de *ecstasy*. O Israelense saberia sobre as operações dos mafiosos. Uma vez na prisão, ele poderia falar[22].

A Polícia Federal nunca comprovou a participação de Israelense e de Compatriota no atentado contra o Barão, mas, por caminhos diferentes, pavimentou a ligação de ambos com o jogo ilegal no Brasil. A história também parecia um filme, porém, agora, os agentes federais obtiveram algumas provas para sustentar o enredo.

Em setembro de 2010, cinco meses após a explosão da bomba, Compatriota e dois conterrâneos dele estiveram por duas vezes em um local bastante suspeito, no Encantado, bairro da zona norte do Rio[23]. Os policiais sondaram o salão de portas de ferro, sempre fechadas, rasgadas por uma portinhola trancada com dois cadeados. Os letreiros quase apagados anunciavam uma oficina mecânica desativada, mas o ar-condicionado no alto da parede e o segurança grandalhão na calçada denunciavam outra atividade. Ali funcionaria um cassino clandestino. Desde que os caça-níqueis foram proibidos, os apostadores puxavam a alavanca das máquinas em lugares como aquele.

Quatro dias após a reunião no cassino clandestino, Compatriota embarcou num voo que partiu do Aeroporto Santos Dumont, no Rio de Janeiro, com destino a Guarulhos, em São Paulo. De lá, seguiria para Israel. A Polícia Federal descobriu que ele e seus dois colegas levavam componentes de caça-níqueis na mala. O material passaria por ajustes técnicos em Israel, o que depois facilitaria a montagem das máquinas no Brasil.

Assim que Compatriota fez o *check-in*, a PF deu início ao plano arrojado atrás de provas. Parou o carrinho com a pilha de malas e abriu a bagagem dos israelenses. Os agentes afirmam que encontraram cabos e uma placa de computador entre as roupas. Fotografaram os equipamentos, recolocaram o lacre da mala e deixaram o material seguir no avião. Não queriam alertar sobre a investigação em curso.

A Polícia Civil entrou na história por acaso. Apreendeu quinze caça-níqueis no cassino ilegal que Compatriota visitara, mas os agentes federais queriam mais do que a simples apreensão das máquinas. Por isso, continuaram a investigar mirando uma suposta rede internacional do jogo clandestino. Finalmente, em setembro de 2011, a 3ª Vara Federal Criminal determinou a prisão de Compatriota[24], acusado de trazer para o Rio "tecnologia de cassinos do leste europeu, dominados pelas máfias russa e israelense"[25]. A polícia brasileira, porém, não tinha como prendê-lo em Israel.

O mercado brasileiro ansiava por novas tecnologias, como a que os israelenses prometiam exportar. Qualquer ajuda seria bem-vinda para suprir a carência de peças, um problema rotineiro no submundo da contravenção. Mal ocorriam apreensões nos cassinos, os operadores do jogo saíam à compra de equipamentos para repor o estoque. Em fevereiro de 2011, após a polícia apreender novo lote de máquinas, um fabricante de caça-níqueis começou a disparar telefonemas:

— Eu tô precisando de vinte telas de dezoito (polegadas) e meia ou de dezenove... Vê se aquele amigo tem lá — disse o homem.

— Tá legal. Vou ligar aqui — respondeu a mulher que fazia contato com fornecedores.

Ela fez diversas ligações sem resultado. Já quase desistia quando conseguiu as peças. O vendedor advertiu que, da próxima vez, seria mais difícil por causa da escassez de equipamentos:

— Vai se preparando aí, que vai faltar tudo de *kit* (de reposição de peças). Tudo... Porque tá zerado já. Eu tirei até de um cliente da Ilha do Governador pra te dar essas vinte telas[26].

* * *

Compatriota foi embora, mas seu colega Israelense, que o teria contratado para colocar a bomba no carro do Barão, continuou no Brasil. A história dele, sim, pode ser chamada de espetacular sem exageros da Polícia Federal. Ele também se feriu na explosão de uma bomba, porém, em sua terra natal, Israel. Mudou-se para os Estados Unidos, onde logo teve problemas com a Justiça. Desceu o continente até a América do Sul. Preso no Uruguai, o Israelense realizou uma fuga que atordoou as autoridades locais. Capturado no Brasil, tornou-se pai de gêmeos concebidos graças à decisão de um juiz que autorizou a coleta de sêmen na cadeia para fertilizar a mulher em liberdade. Com filhos brasileiros, ele já não poderia ser extraditado para os Estados Unidos.

Nascido em Tel Aviv, em março de 1971, o Israelense aparecia até o ano de 2014 na lista de procurados da Interpol, acusado de suborno e formação de quadrilha[27]. A ficha trazia a foto de um homem de olhar firme, 1,85 metro e 99 quilos, cujas roupas largas escondiam as cicatrizes no abdômen, enquanto os sapatos ocultavam que o dedão esquerdo fora amputado. Eram as marcas deixadas pelos estilhaços da bomba que explodiu dentro de um carro em Israel, conforme relatavam os jornais. Aos trinta anos, Israelense teria se envolvido com a guerra local entre operadores do jogo de azar. A polícia tem poucos detalhes sobre esse episódio de sua vida, e dele não se ouvia muito a respeito do caso. Depois do susto, Israelense decidiu se mudar para os Estados Unidos, onde não teria folga.

A DEA (agência norte-americana antidrogas) começou a seguir os seus passos. Investigava suposta lavagem de dinheiro oriundo do tráfico de *ecstasy* e do jogo ilegal, além do desvio de fundos bancários. Os agentes descobriram que B. — cidadão de Israel que vivia na Espanha e em Marrocos — transferiu 1,5 milhão de dólares para contas nos Estados Unidos. O relatório da DEA dizia que B. emprestou o dinheiro a juros altos a dois homens que tinham propósitos diferentes. Um deles pegou 500 mil dólares para financiar o tráfico de *ecstasy* em Miami, segunda cidade mais populosa da Flórida. O outro recebeu 1 milhão de dólares para aplicar em sua concessionária de carros de luxo, em Beverly Hills, Los Angeles.

Os dois não conseguiram pagar o empréstimo. Entre março e setembro de 2003, eles seriam duramente cobrados por Israelense e outros dois homens. A investigação da DEA diz que o trio agia inspirado no filme *Três homens em conflito (The Good, the Bad and the Ugly)*, dirigido por Sérgio Leone e estrelado pelo ator Clint Eastwood em 1966. No faroeste de Leone, ambientado na Guerra Civil norte-americana da década de 1860, três pistoleiros tentam recuperar uma fortuna em ouro roubado. Na Califórnia do século XXI, a DEA dizia que o Israelense encarnava "*Bad*" (mau), os outros dois eram o "*Good*" (bom) e o "*Ugly*" (feio).

A agência antidrogas relata uma ameaça do trio contra o dono da concessionária de veículos que tomara o empréstimo: "Um dos três levantou as pernas da calça e mostrou as cicatrizes que alegou terem sido causadas por uma explosão de bomba. [O empresário] disse que o homem deixou implícito que isso poderia acontecer com ele"[28]. A DEA concluiu que a intimidação partira de Israelense. Em telefonemas grampeados pelos agentes, ele vivia lamentando disparar detectores de metais nos aeroportos por causa de uma placa na perna, sequela do ferimento causado por explosivos.

Em dezembro de 2004, a Justiça da Califórnia emitiu um mandado de prisão contra Israelense, acusando-o de um crime que, na terminologia legal brasileira, seria o equivalente à extorsão[29]. O Israelense saiu dos Estados Unidos para entrar na lista de procurados pela Interpol. Ele seria localizado no Uruguai, onde acabou preso em

2005. Antes de ser extraditado para o território norte-americano, Israelense escapou do presídio numa madrugada de outubro daquele mesmo ano, usando um documento forjado que simulava ordem de transferência para outro cárcere do país. Um funcionário do governo uruguaio teria recebido 70 mil dólares para ajudar na fuga, enquanto três homens se passaram por guardas da prisão e fizeram o preso embarcar num veículo. Quando já estavam a quatro quilômetros de distância, Israelense passou para o carro dirigido por seu irmão e, não se sabe por qual caminho, chegou ao Brasil.

A Polícia Federal o prendeu no dia 23 de dezembro de 2006, quando ele caminhava na praia de Ipanema, zona sul do Rio, já um tanto agitada pelas festas de fim de ano. A prisão teve participação das polícias dos Estados Unidos e de Israel. Um delegado federal, eleito tempos depois deputado, acusou Israelense de traficar *ecstasy*. "Inúmeras festas do tipo *rave* na cidade de Curitiba, Paraná, estão recebendo carregamento do entorpecente para venda, na maioria das vezes, através de um homem de origem israelense com a descrição parecida com a do suspeito", afirmou o delegado ao pedir a prisão[30].

No cárcere brasileiro, segundo um atestado médico de 2007, Israelense estava com os sintomas da síndrome do pânico: sofria de intensa ansiedade, angústia e medo. Uma coisa o perturbava muito. Algumas fotos apreendidas pela Polícia Federal em seu computador foram parar nas páginas de um jornal israelense. Numa das imagens, a sua mulher aparecia de biquíni ao lado dele, sorridente, vestido de calção e com uma toalha branca no pescoço. Pelo tamanho da barriga, ela se encontrava nos meses finais de gravidez. O grande problema, disseram os advogados, é que na família da mulher havia judeus ortodoxos não acostumados a ver mulheres em trajes de banho na praia.

A investigação de tráfico de *ecstasy* não seguiu em frente. Israelense jamais foi acusado desse crime no Brasil, assim como nunca se comprovou o seu envolvimento no atentado contra Barão. Ele enfrentou três processos de extradição, um movido pelo governo uruguaio e dois pelos Estados Unidos. O Supremo Tribunal Federal decidiu que não era o caso de mandá-lo para aqueles países, pois não foram apresentadas provas de tráfico de drogas. Além do mais, os juízes entenderam que objetivamente Israelense era acusado nos Estados Unidos pelo equivalente no Brasil ao "delito de ameaça, cuja pena máxima prevista é seis meses de detenção e, portanto, não passível de extradição". O Supremo colocou Israelense em liberdade.

A sua permanência no Brasil, entretanto, estava selada por uma decisão bem anterior do Supremo Tribunal Federal, tomada no começo de 2007, quando ele se encontrava preso fazia apenas dois meses e meio. O Supremo autorizou a coleta do sêmen de Israelense dentro da cela, a fim de ser realizado o processo de fertilização que ele e a sua mulher tinham planejado numa clínica. O tratamento custou 8.555 reais, seguiu com o aval da Justiça e deu resultado.

O nascimento dos filhos brasileiros garantiria sua estada definitiva no país, mas a batalha não chegara ao fim. A mulher ainda estava grávida de sete meses, quando policiais federais foram até a sua casa para levá-la à delegacia do Aeroporto Internacional do Galeão. Os agentes disseram que a mulher estava em situação irregular no país. Deram prazo de oito dias para que ela deixasse o Brasil. Era também um jeito de forçar Israelense a partir. Ele recorreu à Justiça, argumentando que a viagem da mulher de volta à terra natal demoraria dezoito horas. A gravidez seria de risco para suportar o esforço. O juiz autorizou a permanência. Os gêmeos nasceram à noite no início de março de 2008. A ideia era que eles não perdessem suas raízes. Aos três anos, já estavam matriculados no maternal de uma escola de tradição judaica.

A quem perguntasse Israelense dizia sobreviver da ajuda financeira de amigos judeus e do pai — que morava em Israel — de quem teria recebido 300 mil dólares para comprar uma casa no Rio. Ele ainda tinha dificuldades com a língua portuguesa, principalmente na conjugação dos verbos. Pronunciava frases como "eu vai ficar com vergonha" e "que horas você chegar". Apesar dos obstáculos com o idioma, arrumou um emprego que dependia de muita lábia. Em maio de 2010, com salário de 5 mil reais, ele foi contratado por uma empresa que negociava carros de luxo. Pagava a gorda comissão de 2,5% por veículo vendido. Se vendesse uma BMW de 300 mil reais, poderia embolsar 7.500. Precisava de dinheiro. Só a mensalidade dos filhos na escola, com almoço incluso, chegava a 2.488 reais[31].

Entre os clientes da loja estavam famosos jogadores de futebol, que depois seriam acusados de comprar carros usados, trazidos ilegalmente dos Estados Unidos, quando a lei só permite a importação de automóvel zero quilômetro. Sediada na Barra da Tijuca, a revendedora pertencia a um conhecido frequentador das noites cariocas. Era mais célebre ainda por ser filho de um velho contraventor, nascido em maio de 1930, um personagem da época do Poderoso Bicheiro.

Quando, em outubro de 2011, a Polícia Federal o acusou de ainda dar as cartas no negócio sujo, o velho contraventor não negou que bancara o jogo do bicho, mas ponderou que abandonara a atividade havia 15 anos. Agora, sobreviveria do rendimento mensal de 16 mil reais com o motel que possuía. Foi lá que policiais civis mataram aquele sargento do Exército, acusado de arranjar os explosivos instalados no carro de Barão. O velho contraventor contou que também criava cavalos de corrida desde 1972. Teria constituído seu patrimônio com as vitórias de puros-sangues nas pistas. Portanto, nada havia de ilegal em seus negócios. Perguntado sobre o seu filho, ele respondeu ter convivido com o menino até que completasse oito anos.

O filho pode ter vivido muito pouco ao lado do pai, mas herdou dele a mesma fama de contraventor. A Procuradoria da República o acusou de manter cassinos clandestinos, na zona norte do Rio, e de ser o dono de 314 máquinas caça-níqueis apreendidas entre 2010 e 2011. Ele sempre negou. Um ano depois, a Justiça Federal o condenou a catorze anos e dois meses de reclusão por contrabando de peças das máquinas, crime contra a economia popular, formação de quadrilha e lavagem de dinheiro[32].

As acusações também atingiram Israelense. Ele voltou a ser preso, agora associado à máfia dos jogos. Seus passos eram acompanhados, e seus telefones estavam grampeados desde a explosão da bomba que matou o filho de Barão. Durante as investigações, apareceram as suspeitas de laços com o clã Abergil, um braço da máfia de Israel envolvida com extorsão, tráfico de drogas e jogo ilegal, inclusive nos Estados Unidos. Por isso, Israelense passou a ser cobiçado pelos governos dos EUA e de Israel como testemunha. Uma delação dele levaria à cadeia vários mafiosos.

No começo, não houve entendimento entre as autoridades brasileiras e estrangeiras. Um tenente-coronel da Polícia Nacional de Israel pediu uma entrevista com o preso dentro da penitenciária de Bangu. A Procuradoria da República autorizou o encontro, mas a Justiça Federal não gostou e informou aos Ministérios de Relações Exteriores e da Justiça que a solicitação passava à margem das vias diplomáticas[33].

Israelense teria, de fato, alguma informação útil? A Polícia Federal registrou que um homem bastante suspeito viera ao Brasil para se recuperar de um ferimento a bala e se hospedara na casa de Israelense, entre 24 de agosto e 16 setembro de 2010, quando então deixou o país. "O suspeito, que já sobreviveu a diversas tentativas de assassinato, é considerado pela inteligência da polícia um homem-chave na estrutura do clã Abergil", afirmava um relatório da PF que trazia o número do passaporte do visitante e a sua ficha de entrada no Brasil[34].

Em dezembro de 2012, a 3ª Vara Federal Criminal do Rio de Janeiro condenou Israelense a treze anos e seis meses de reclusão por formação de quadrilha, lavagem de dinheiro, contrabando de peças de caça-níqueis e crime contra a economia popular; esse último porque os bicheiros adulteravam as máquinas para obter lucro lesando o bolso dos apostadores. Israelense sempre negou todos os crimes. A sua defesa afirma que a investigação se baseou apenas em escutas telefônicas interpretadas de forma equivocada pelos agentes federais[35], como num roteiro de cinema. Após quatro anos preso, em 2015, a Justiça autorizou a sua transferência temporária para um presídio de Israel. De volta à terra natal, ele fez uma delação que resultou na prisão de dezenas de mafiosos do clã Abergil. Israelense deixou para atrás o Rio e um mistério: quem explodiu o carro de Barão?

CAPÍTULO 5.
TIROS DE FUZIL, CARRO "INCENDIADO" NA PASSARELA DO SAMBA

Outro suspeito do atentado a bomba apareceu no radar dos investigadores de polícia. O cabo do Corpo de Bombeiros foi segurança de Barão e, segundo a Polícia Civil, trocou o emprego por seu próprio negócio no ramo de caça-níqueis. O antigo funcionário e o ex-patrão viraram concorrentes, o que, na disputa para operar o jogo, pode significar inimizade. O cabo sabia disso. Desde que prosperou, ele passou a andar protegido por guarda-costas[36]. Pelo menos um detalhe de sua rotina muita gente conhecia. Aos quarenta e seis anos, o cabo procurava manter o corpo em forma e "malhado" — meta também de Barão, seu antigo chefe. Diariamente, às 8 horas da manhã, o cabo seguia de sua casa para a academia de ginástica no bairro vizinho, na zona oeste carioca.

No curto trajeto, ele podia usar o Land Rover Discovery ou a Harley-Davidson. Escolheu a moto naquela quarta-feira de novembro de 2010. Fazia sete meses que a bomba explodira no Corolla do ex-patrão. Os dois seguranças, que eram policiais militares, entraram na Land Rover para escoltar o chefe pela avenida Lúcio Costa, uma das principais da região. Na altura da praia da Reserva, um Gol de motor 1.0 ultrapassou a caminhonete emparelhando com a Harley-Davidson. Dava para ver três, talvez quatro homens dentro do carro. Um deles abriu o vidro, apontou o fuzil calibre 762 e disparou. O cabo caiu morto.

Os seguranças aceleraram o Land Rover atrás do atirador. Com a potência do motor, alcançaram o alvo e bateram com violência no Gol espatifando o seu vidro traseiro. A placa do Land Rover ficou cravada na lataria vermelha do carro. Os guarda-costas continuaram a lançar o SUV sobre o outro veículo, mas de repente pisaram no freio. Horas depois, eles diriam à polícia que desistiram por causa do fuzil na mão de um dos bandidos. A arma de guerra mataria facilmente rivais com pistolas. Os investigadores da Divisão de Homicídio suspeitaram do envolvimento dos seguranças no crime, inclusive ajudando na fuga dos atiradores. Entretanto, isso não ficou comprovado.

Livres da perseguição, os quatro homens estacionaram o Gol um quilômetro adiante, na avenida Lúcio Costa, e atearam fogo no carro, modelo 2011, saído havia pouco da fábrica. O incêndio interrompeu o trânsito na pista em direção à Barra da Tijuca. Algumas pessoas que passavam pelo local achavam que tudo aquilo fazia parte da nova gravação do ator Sylvester Stallone, que, em 2009, filmara *Os Mercenários* no Rio de Janeiro. Na vida real, segundo a polícia, o cabo era mais um assassinado na guerra dos caça-níqueis.

No final de 2006, com a prisão de Barão, o cabo passou a gerenciar o jogo ilegal. Um relatório da Polícia Civil diz que ele se associou a milicianos. Uniu a operação dos caça-níqueis ao esquema de extorsão de dinheiro de moradores em bairros pobres, principalmente nas favelas da zona oeste. Foram três anos de bonança até que o Barão obteve um *habeas corpus* em 2009. A polícia diz que ele retomou o comando dos negócios com mãos de ferro. Apesar do escanteio, o cabo deu suas próprias cartas para ganhar poder. Quando ocorreu o atentado a bomba, ele naturalmente entrou na lista dos suspeitos de tramar a morte do ex-chefe[37].

Agora vinha a reciprocidade. A Polícia Civil acusou Barão de encomendar o assassinato do cabo para vingar o filho, morto na explosão.

A Justiça determinou a prisão dele, mas logo a Promotoria de Justiça se convenceu de sua inocência, sob um argumento a princípio banal. Não ocorreram telefonemas entre o Barão e os suspeitos de puxar o gatilho. A acusação só ficou de pé contra os quatro homens do Gol, entre eles dois policiais militares. O motivo do crime permanecia um mistério, assim como oficialmente nada se sabia do autor do atentado a bomba.

* * *

Passados dois anos, pensando em corrigir as distorções no rosto causadas pela explosão, Barão procurou uma clínica de cirurgia plástica na zona sul. Ele chegou ao consultório acompanhado de cinco homens armados. A comitiva chamou a atenção de quem passava na rua, alguém ligou para a polícia, e, em instantes, um grupo de investigadores cercou a escolta. Entre os guarda-costas, havia dois policiais militares. Legalmente, eles podiam fazer bico de segurança nas horas de folga. Porém, a PM já considerava indisciplina o serviço para um suspeito de contravenção.

Barão não deu a mínima para o contratempo, pois surfava nas decisões favoráveis da Justiça. Na principal onda que pegou, o Tribunal do Júri o absolvera da acusação de encomendar o assassinato de seu primo, o filho do Poderoso Bicheiro. A suspeita o levara para a cadeia em 2006. Em março de 2013, o novo julgamento decidiu que ele era inocente. Nem precisou esquentar o banco dos réus, um atestado médico justificava a sua ausência. A pedra no sapato ainda era a condenação a dezoito anos de prisão por formação de quadrilha e contrabando. Os advogados garantiam o direito de recorrer em liberdade da sentença, aplicada em 2009, e sem previsão de quando o último recurso seria julgado definitivamente. Muitos carnavais passariam até esse dia chegar, e o reinado de momo tornou-se prioridade para Barão.

A cena lembrava os tempos do Poderoso Bicheiro no carnaval. Vestido de blazer branco e camisa de gola verde, Barão segurava o buquê de rosas vermelhas, enquanto a famosa cantora dançava à sua frente no palco. Dez minutos depois, ele finalmente entregou as flores à beldade, coroada rainha da bateria naquela noite de setembro. Meses antes, a escola contratara um premiado carnavalesco por R$ 2,5 milhões, segundo notícias publicadas nos jornais[38]. Assim como seu tio, o Poderoso Bicheiro, Barão virara patrono da escola e cercava-se de celebridades, embora ficasse pouco à vontade diante das câmeras, algo que nunca incomodou o velho.

As aparições públicas de Barão coincidiam com a saída de cena do Príncipe. Este vivia um inferno astral aos quarenta e nove anos. A Polícia Federal e o Ministério Público sempre o acusaram de disputar com Barão o controle de máquinas caça-níqueis, mas, no final de 2014, Príncipe estava em grande desvantagem com três mandados de prisão, acusado de homicídio e formação de quadrilha[39]. A Promotoria de Justiça o denunciara pelo assassinato de um cabo da PM, morto a tiros em outubro de 2006. O homicídio seria represália a supostas ligações do policial com Barão. Mais uma vez, o suspeito de puxar o gatilho por encomenda era Sem Cérebro, o mesmo homem envolvido na morte de J., a mulher de Cobra, assassino do filho do Poderoso Bicheiro[40].

Outro golpe duro veio com a operação deflagrada pelo Ministério Público em 2013. Os promotores acusaram Príncipe de liderar uma quadrilha do jogo ilegal e corromper onze policiais militares, incluindo três oficiais. A investigação dizia que o quartel-general do bando ficava na casa de dois andares, de muro alto, numa rua tranquila do bairro na zona oeste. Era o mesmo endereço da fortaleza do Poderoso Bicheiro. Em março de 1994, os promotores de Justiça apreenderam ali os livros de contabilidade da propina do bicho que levantaria suspeita contra o grande Comissário da polícia. A história voltara ao ponto de partida[41].

O desfile da escola de Barão despertava grande expectativa na rainha da bateria e no carnavalesco contratado a peso de ouro. Agremiação se deu mal, atravessou o samba entre as últimas colocadas na apuração dos quesitos. Entre eles, o enredo perguntava o que um sujeito faria antes de morrer e dava entre as opções a seguinte: "Explodiria meu carro e riria?". A polícia ainda não sabia quem detonou a bomba no carro de Barão, mas talvez ele já se sentisse vingado.

PARTE 2.

ESTADO NEGRO — O PODER DO NARCOTRÁFICO

<KLIGAÇÃO TELEFÔNICA 4>

1 VOZ MASCULINA ("Bomba")

2 VOZ MASCULINA ("Seu Fernando")

3 VOZ MASCULINA

4 VOZ MASCULINA

5 VOZ MASCULINA

<04:15,349>
<LIGAÇÃO EM ANDAMENTO>
<VOZES AO FUNDO ININTELIGÍVEIS>
<04:18,873>
<INÍCIO DA CONVERSAÇÃO>

1   alô
2   fala, meu choque
1   e aí, patrão?
2   tranqüilo?
1   tranqüilo, pô, já... a outra orelha dele já comeu também, (mané)
2   já comeu as duas?
1   já, já

2   e aí, tem mais alguma coisa pra falar pra mim ainda, ou não?
3   falei tudo, seu Fernando
2   é mesmo, é?
3   falei tudo
2   mas que boceta maldita, hein, cara... caralho, essa boceta é maldita, não é não?
3   é... é...
2   não é boceta maldita?
3   se eu soubesse eu nunca... nunca tinha me envolvido, seu Fernando
2   é mesmo, é? caramba
3   tô falando de coração pro senhor
2   hum, hum
3   eu não tô conseguindo nem andar, eles tentaram colocar eu pra andar...
2   hum

<REINÍCIO DA CONVERSAÇÃO>
2   deixa eu falar com o bal... com o Bomba aí
3   Bomba, pra você
1   fala
2   demorou, já é
1   já é
2   já é
<12:02,070>
<VOZES AO FUNDO INTELIGÍVEIS>
-    tá maneiro, vai...
     <VOZ MASCULINA AO FUNDO> então, manda (ele escutar)
-    escuta... vai...
     <VOZ MASCULINA AO FUNDO> (...)
<12:08,224>
<SOM DE DISPARO DE ARMA DE FOGO>

<APARENTEMENTE SOM DE DISPARO DE ARMA DE FOGO>
<12:23,090>
2   ... tá bom, tá bom, tá bom
1   então valeu
2   tá bom? manda sumir, manda sumir
1   tá (maneiro)
2   valeu?
1   valeu, valeu...
2   então tá, daqui a pouco eu ligo aí, tchau, tchau
1   tchau
<12:31,432>
<FIM DA LIGAÇÃO TELEFÔNICA>
<INTERRUPÇÃO DA GRAVAÇÃO>
<NADA MAIS GRAVADO EM FITA 1, LADO B>

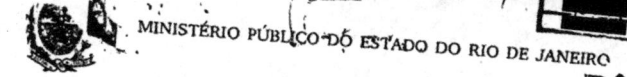

MINISTÉRIO PÚBLICO DO ESTADO DO RIO DE JANEIRO

27ª PROMOTORIA DE INVESTIGAÇÃO PENAL

EXCELENTÍSSIMO SENHOR DOUTOR JUIZ DE DIREITO DA QUARTA VARA CRIMINAL DE DUQUE DE CAXIAS.
Inquérito Policial nº 1397/99 – 59ª Delegacia Policial

O MINISTÉRIO PÚBLICO, através dos Promotores de Justiça infra firmados, no uso de suas atribuições legais, vêm oferecer **denúncia** em face

LUIZ FERNANDO DA COSTA, vulgo "Fernandinho Beira-Mar", brasileiro, solteiro, filho de ██████████████ atualmente foragido, pela prática do seguinte fato delituoso:

Nos últimos dias do mês de agosto de 1999, em horário não precisado da noite, através de conversas telefônicas interceptadas com autorização judicial pela Polícia Federal, cujo laudo pericial instrui a presente (vide fls. 181 e seguintes do laudo), o denunciado, agindo livre e conscientemente, comandou a execução de M████████████████████.

CAPÍTULO 6.
COMANDO VERMELHO ATACA, E POLÍCIA OCUPA O QUARTEL--GENERAL DO TRÁFICO NO COMPLEXO DO ALEMÃO

O Rio de Janeiro de belas paisagens também atrai olhares do mundo pelos casos de violência. Alguns anos mais sangrentos entram para a história, e 2010 se candidatou a ser um deles. Em abril, a explosão no carro de Barão mostrara o poder de fogo da máfia dos caça-níqueis. Não era, porém, a única organização criminosa capaz de espalhar pânico, de afrontar o estado de direito e de encurralar autoridades fluminenses. Em novembro, sete meses após o episódio da bomba, o narcotráfico promoveu barbaridades maiores que mandar um carro pelos ares. As ações deixariam uma enorme cicatriz na cara da segurança pública do Rio.

No submundo do crime, o jogo ilegal e o tráfico de drogas são ramos distintos com algo em comum: o suborno de policiais. Os bicheiros pagam propina e, confiantes no poder do dinheiro, recrutam seus guarda-costas nas delegacias civis e nos quartéis da PM. Os narcotraficantes também fazem acerto com os agentes corruptos, mas enxergam nos homens com distintivo o rival a ser eliminado. Assim, no final de 2010, começou mais uma guerra contra a polícia. Chefiada pelo narcotraficante Luiz Fernando da Costa, o Fernandinho

Beira-Mar, a facção Comando Vermelho disseminou o terror pelas ruas da cidade. Muitas pessoas escaparam da morte pulando a janela de ônibus em chamas, incendiados por bandidos.

Em poucos meses, foi como se o bastão da "insegurança pública" passasse das mãos da máfia dos jogos para as do narcotráfico. Não definitivamente, pois sempre ocorrerá um revezamento. Os ataques causaram tanto pânico que logo a explosão da bomba ficou esquecida. O escapamento barulhento de um carro podia assustar as pessoas nas ruas. Elas quase se jogavam ao chão. Podia ser outro tiroteio. Traficantes atiravam nos carros e cabines da polícia, roubavam motoristas presos no trânsito das vias expressas e, principalmente, incendiavam ônibus. Em poucos dias, contavam-se 27 mortos. Surgiram boatos sobre o planejamento de um grande atentado terrorista que faria a explosão da bomba parecer brincadeira do jogo do bicho. Corria o rumor de que traficantes explodiriam a ponte Rio–Niterói, na baía de Guanabara, com 275 quilos de dinamite roubados dias antes em São Paulo.

Meio que prostrado, o governo do Rio achava que os criminosos reagiam contra a "pacificação das favelas" cariocas[1]. Até aquele momento, a PM retomara poucas comunidades controladas pelos traficantes a poder de armas. Nesses territórios do crime, demarcados dentro da cidade, eles vendem drogas e controlam quem entra e sai das comunidades. Com artilharia pesada no alto dos morros, metralham os carros da polícia que tentam subir a favela. Após décadas nessa situação, o governo decidiu avançar sobre as fortalezas do tráfico, o que teria provocado os bandidos. A cúpula da Secretaria de Segurança Pública identificara, pelo menos, o principal inimigo: o Comando Vermelho, de Beira-Mar.

Os maiores chefes dessa facção estavam em presídios federais de segurança máxima, a centenas de quilômetros de distância do Rio, trancafiados em celas individuais e vigiados vinte e quatro horas por dia. Ainda assim conseguiam transmitir recados aos comparsas em liberdade. Não sem deixar pistas. Dois meses antes dos ataques no Rio, o corregedor do presídio de Catanduvas, no Paraná, suspeitou de um "pombo-correio" dentro da penitenciária federal. A advogada que visitava um dos poderosos traficantes do Comando Vermelho recebera ordens do preso para uma esquisita transação no Paraguai: "compre treze perfumes devagar. Não precisa ser todos de uma vez". O traficante chefiava a venda de drogas no morro Santo Amaro, no Catete, bairro da zona sul colado ao centro da cidade. Capturado no ano de 2000, ele estava na cadeia fazia dez anos. A polícia também o acusou de mandar sequestrar, torturar e matar a ex-namorada, de dezenove anos. Tomado por ciúmes, nem sequer permitiu o enterro. Ordenou que o corpo fosse lançado de uma ribanceira[2].

Portanto, aquele traficante não era o tipo de sujeito interessado em perfumes. O corregedor suspeitou de que ele se referisse, na verdade, à compra de fuzis no Paraguai, arma de guerra usada para dominar as favelas cariocas, defender a área da polícia e das quadrilhas rivais. É muito poder de fogo na mão de criminosos. Naquele ano de 2010, a Secretaria de Segurança apreendeu 257 fuzis no Estado do Rio[3]. Boa parte entrou no Brasil pela fronteira com o Paraguai. O relatório do setor de inteligência do presídio confirmou que o traficante[4] encomendara não perfumes, mas fuzis.

Chefe maior do Comando Vermelho, Beira-Mar também estava em um presídio federal, só que em Campo Grande. Inauguradas a partir de 2006, em Catanduvas, Campo Grande, Porto Velho e Mossoró, as quatro penitenciárias federais minam a força física e moral dos homens nelas reclusos. Após alguns meses no cárcere, chefões corpulentos se apresentam mirrados nas audiências do Tribunal de Justiça. A máquina de moer gente não funcionou com Beira-Mar, o primeiro preso federal do Brasil. O homem de estatura média ainda exibia vigor e um olhar ameaçador, após nove anos na rigidez do cárcere. Até engordou.

Beira-Mar nasceu em Duque de Caxias, cidade da Baixada Fluminense a quarenta e cinco minutos de trem da estação Central do Brasil. Milhares de trabalhadores na cidade do Rio moraram na Baixada, região com altos índices de violência e pobreza. Desde cedo, o jovem Beira-Mar circulava pelas ruas de Caxias flertando com a delinquência. Não conheceu o pai e, muito jovem, perdera a mãe, atropelada na rodovia Washington Luís, perto da casa onde morava. Entre dezoito e vinte anos, começou a fazer assaltos, mas logo entrou em seu radar o lucrativo comércio de drogas. Quando falam dos métodos violentos do traficante, policiais relembram a história de um sequestro na cidade natal de Caxias. Assim como tantos bandidos, Beira-Mar não aceitaria uma traição amorosa.

O estudante M., de vinte anos, trabalhava numa loja de materiais de construção e frequentava o curso noturno do ensino médio. Garoto bonito, ele fazia sucesso entre as meninas. Numa segunda-feira de agosto de 1999, saiu de casa às 7 horas da manhã, deu expediente no comércio — onde se empregara havia duas semanas. Para estranheza dos colegas, não apareceu na escola. Como sempre fazia, a mãe esperou acordada pelo filho. M. não chegou. Quando amanheceu, ela e o marido percorreram hospitais, postos do Instituto Médico Legal e delegacias. Explicavam que o rapaz calçava um sapato de camurça, vestia calça preta e uma camisa do time do Vasco com faixa branca, mas não conseguiram nenhuma notícia.

Foragido da polícia já naquela época, Beira-Mar se escondera na fronteira com o Paraguai. Ligava com frequência para seus subordinados no Rio. Atenta ao movimento, a Polícia Federal grampeara os telefones usados pela quadrilha. Segundo o Ministério Público[5], numa das ligações, Beira-Mar falou com os homens que sequestraram M. O rapaz cometera o pecado de sair com uma colega de escola. Nada de mais, se a menina não fosse namorada de Beira-Mar. Ela também desaparecera. Os investigadores nunca souberam o que aconteceu com a moça, mas, no caso de M., a escuta telefônica revelou o seu destino. Beira-Mar não só ligou para os sequestradores, como, também pediu para falar com o refém, que passava por uma sessão de tortura.

— Alô — disse M., quando alguém colocou o celular em seu ouvido.

— E aí, tranquilo? — perguntou Beira-Mar.

— Eu... Tô todo cortado, sem as duas orelhas.

— É mesmo? Já tiraram teus dois pés também?

— Arrancaram os dois pés meus. Tá... Tá tudo pendurado. Tá só... Só sobrou o calcanhar.

— Caramba! E os dedinhos?

— Os dedinhos tão todos pendurados.

— É mesmo, é? E a orelha? Orelha é gostoso?

— Hã — balbuciou M.

— Orelha é gostoso? — repetiu Beira-Mar.

— É muito grande, desceu na boca. Quase que eu... Quase que eu não engoli.

— E aí, tem mais alguma coisa pra falar para mim ainda, ou não?

— Falei tudo, seu Fernando.

— Mas que buceta maldita, hem, cara... Caralho, essa buceta é maldita, não é, não?

— É, é... Se eu soubesse, nunca... Nunca teria me envolvido, seu Fernando.

— É mesmo, é? Caramba!

— Tô falando de coração pro senhor.

— Hum, hum.

— Eu não tô conseguindo nem andar. Eles tentaram me colocar pra andar. Não dá, não... Eu consigo dar três passos, e as pernas doem muito.

— Dói muito? Mas você tá bem. Tu tá falando pra caramba... Tá bem, pô.

— Oh, parece... Parece que eles passaram um trator em cima de mim. Minhas duas costelas... Acho que está fraturada, porque veio... Eles passaram...

— Não, mas eu não vou deixar fazerem isso contigo, não — interrompeu Beira-Mar, irônico. E continuou: — A costela tem que ficar inteira, pô. Pra você ir pra casa. Quando você for embora pra casa, vou mandar um táxi te levar até a porta de casa.

— Seu Fernando...

— Hã.

— Pede só um táxi para avisar a minha mãe, por favor.

— Ah, tá bom, vou mandar o táxi te levar até o [hospital do] Duque. Aí do Duque, o mesmo táxi mando na tua casa avisar tua família. Tá legal?

— Tá legal.

— Garanhão, né? Porra!

— Não, não, senhor.

— Que buceta gostosa, hem? Que buceta maldita.

— O que o senhor falou? Fala mais alto que o sangue tá tampando a ore... O ouvido.

Beira-Mar pediu para falar com o comparsa que comandava a sessão de tortura. M. passou o telefone para o homem, cujo nome a polícia ignorava. Sabia-se apenas o apelido: "Bomba".

— Pô, mas [ele] tá reagindo bem pra caramba, hem. Tá falando pra caramba, né? — disse Beira-Mar.

— Tá, tá. Ele é sinistro — respondeu Bomba.

— Caralho. Marra... Marra... Marrudo pra caralho, né?

— É, é, tá humilde... Tá humilde que tá vendo que o papo aqui tá sério.

— Hum — murmurou Beira-Mar.

— Vai fazer já o serviço?

— Não, não. Dá mais um courinho nele. Mais um courinho legal. Daqui a pouco, eu ligo. Dá mais um couro bem dado, bem dado... Ele está com dedo ainda, não?

— Tá não, porra!

— Nem um toquinho, não tem nem um toquinho?

— Tem nada.

— Então tá tranquilo. Dá lá... Dá só um... Dá mais um couro, um courinho bem dado. Não quero pressa, não. Bem devagarzinho...

Daqui a uns dez minutos, eu ligo de novo. Eu vou pensar como é que a gente vai fazer com ele.

∗ ∗ ∗

O esquema de Beira-Mar na fronteira com o Paraguai mudou a geografia do narcotráfico na América do Sul[6]. Até então, o Paraguai era apenas um grande produtor de maconha, enviada ao Brasil na carroceria de caminhões. Milhares de toneladas transpunham a porosa fiscalização da polícia, muitas vezes corrompida, para que o carregamento passasse. Havia também o negócio lucrativo dos cassinos, legalizados nas cidades paraguaias, mas o tráfico não queria competir com a máfia do jogo já instalada no Rio.

Beira-Mar preferiu se associar à família Morel, responsável por imensas plantações da droga em fazendas de Capitan Bado, cidade paraguaia onde a planta se alastra a perder de vista. Não demorou muito para o chefe do Comando Vermelho romper com os sócios e promover uma guerra sangrenta contra eles. A matança deixou dezenas de corpos espalhados pela faixa de fronteira. Beira-Mar saiu vitorioso, mas o sucesso teria um custo mais adiante; a Justiça o condenaria a quinze anos de prisão no presídio estadual de Campo Grande pelo assassinato do patriarca João Morel.

Narcotraficantes mais cacifados se envolvem na compra, transporte e revenda de cocaína, bem mais lucrativa que a maconha. Após a guerra do Comando Vermelho contra as quadrilhas nativas da fronteira, inúmeros criminosos brasileiros seguiram os passos de Beira-Mar. Transformaram o Paraguai num entreposto de distribuição da cocaína boliviana. Antes disso, os carregamentos chegavam ao Brasil direto da Bolívia, em aviões de pequeno porte, carros ou bagageiros de ônibus — quando não em cápsulas no estômago de pessoas recrutadas pelo tráfico, as chamadas mulas. Agora, boa parte da cocaína era levada primeiro ao Paraguai, onde as quadrilhas se encarregavam de despachá-la para o território brasileiro. O esquema criou uma série de novas rotas para confundir a polícia e evitar apreensões.

* * *

Beira-Mar voltou a ligar para Bomba, em Duque de Caxias. O comparsa atendeu a ligação sem demora. Aguardava ansioso o desfecho daquela sessão de tortura. A mão teimava em esbarrar na arma que trazia na cintura.

— Deixa eu falar com o meu sócio — ironizou Beira-Mar.

— Tá sem as duas mãos, patrão — disse Bomba, rindo.

— Sem as duas mãos e ainda tá falando?

— Tá falando ainda, tá desenrolando, aqui oh, sem as duas mãos, sem as duas orelhas, sem os dois pés.

— Caralho! Deixa eu falar com ele — pediu Beira-Mar.

— Alô — disse M., no fone que alguém lhe segurava ao ouvido.

— E aí, tudo tranquilo?

— Todo quebrado.

— Todo quebrado, porra? Você [é] gostosão, porra. Gosta de comer mulher de vagabundo... Que buceta maldita, hem? Quantas fodas tu deu nela até hoje?

— Só essa. Eu larguei ela.

— Não. Quantas fodas? O total desde que começou. Quantas vezes tu saiu com ela?

— Só uma. Depois ela contou a verdade, senhor.

— Pô! Só saiu uma vez... Mentira. Tu falou que eram três, agora só saiu uma?

— Não. Três [vezes] ela foi à minha casa... Tá fazendo confusão.

— Ah, Ah... Porra, mas tu tá bonzinho ainda, caralho, puta que pariu... E tá doendo muito?

— Eu não tô sentindo nada.

— Tá sentindo nada?

— Não.

— Não? Caramba, puta que pariu, porra. Vou te mandar lá no [hospital] Duque, agora. Vou chamar o táxi pra tu ir, valeu?

— Tá.

— Deixa eu falar com o garoto aí pra... pra chamar o táxi pra tu ir pro Duque. Deixa eu falar com o Bomba aí.

— Bomba, pra você — disse M.

O comparsa pegou o telefone de volta. A sua identidade não foi descoberta pelos investigadores da Polícia Federal, mas um laudo do perito, enviado à Justiça, identifica Beira-Mar pela voz, como o homem que telefonava de Mato Grosso do Sul para conversar com M[7].

— Fala — disse Bomba.

— Demorou, já é.

— Já é.

— Já é.

Beira-Mar escutou cinco tiros. Começou a rir:

— Tá bom, tá bom, tá bom. Manda sumir, manda sumir com o corpo.

O Ministério Público denunciou Beira-Mar à Justiça como mandante do homicídio, mas seus advogados sempre afirmaram que os telefonemas não valem como prova. Argumentam que nunca apareceu a decisão judicial que teria autorizado a Polícia Federal a fazer a escuta telefônica e, portanto, o grampo seria ilegal. Além disso, "é um crime sem cadáver", dizem os defensores[8]. O processo se arrastou por dezesseis anos na Justiça. O julgamento sofria adiamentos por falta de jurados, que obrigatoriamente devem ser escolhidos entre os moradores de Duque de Caixas, onde o crime aconteceu. O chefe do Comando Vermelho continuava temido, mesmo encarcerado a milhares de quilômetros de distância. Finalmente, em outubro de 2016, formado por quatro homens e três mulheres, o júri condenou Beira-Mar a trinta anos de prisão.

* * *

Deixando um rastro de sangue na fronteira com o Paraguai, Beira-Mar se mudou para a Colômbia, onde negociava a compra de armas e de cocaína pura, destinadas ao Rio de Janeiro. Segundo a Polícia Federal, ele tratava diretamente com as Farc (Forças Armadas Revolucionárias da Colômbia), que aterrorizavam o país na guerrilha contra o governo e nos sequestros, para se financiar com o resgate. Apenas três nações no mundo são grandes produtoras da folha de coca, a matéria-prima da cocaína: Bolívia, Peru e Colômbia. As três fazem uma fronteira contínua de 8 mil quilômetros com o Brasil. Mas foi com os Estados Unidos que as autoridades colombianas fecharam uma parceria para combater as Farc, reduzir as lavouras de coca e prender traficantes.

Em abril de 2001, um batalhão de 3 mil soldados colombianos caçou e capturou Beira-Mar na selva, o esconderijo dos criminosos travestidos de revolucionários. Ele teve sorte de não ser extraditado para os Estados Unidos, onde estaria definitivamente acabado. Desembarcou em Brasília com o braço direito quebrado numa tipoia, barbudo e olhar de bicho acuado que, fixado nas câmeras de TV, era ameaçador. Pouco tempo depois, já estava em casa. Voltou ao Rio de Janeiro para cumprir pena no presídio de Bangu 1, porém esse cárcere, mesmo sendo de segurança máxima, já não podia conter um narcotraficante internacional com relações criminosas no Paraguai, na Bolívia e na Colômbia.

Para relembrar seus tempos na fronteira paraguaia, Beira-Mar começou a exterminar seus inimigos. Em setembro de 2002, comandou uma rebelião que eliminou quatro criminosos de facções rivais. Tempos depois, seria condenado a 120 anos de prisão pelas mortes[9]. A condenação não tinha o poder de anular o impacto que a rebelião causou no submundo do crime. Os assassinatos minaram as quadrilhas adversárias e, ao mesmo tempo, fortaleceram o Comando Vermelho. A facção ampliou os domínios nas favelas cariocas, a ponto de tramar ataques pela cidade, quando achasse necessário.

Após o episódio em Bangu, Beira-Mar foi retirado às pressas do Rio. Passou por diversas penitenciárias do país. Ele se transformou em preso indesejável que nenhum governador queria em seu Estado. Finalmente, a Polícia Federal o abrigou numa de suas celas em Brasília. Mal se instalou no cárcere, logo arrumou dois celulares. Por telefone, encomendava drogas e ficava a par dos negócios. Suas ligações, porém, eram interceptadas por ordem da Justiça Federal[10].

Numa das conversas gravadas, em 13 de junho de 2006, Beira-Mar recebeu a má notícia: "O motorista rodou". O comparsa referia-se à apreensão de cocaína e à prisão de quem transportava a droga, numa embalagem especial. O Brasil disputava a Copa do Mundo, ganhara a taça em 2002, e os torcedores esperavam o hexacampeonato num clima de euforia que contagiava os traficantes, a ponto de usarem as cores da seleção brasileira nos pacotes de cocaína. A polícia apreendeu quarenta e nove de cor azul e cinquenta de cor amarela. Minucioso na contabilidade, Beira-Mar cobrou explicações: "Não confere, você mesmo me disse que tinham vindo quarenta e cinco azuis. Por que agora me diz que foram quarenta e nove[apreendidas]?" O outro se justificou com respeito: "Eu nunca levaria o senhor enganado. Aqui [fora], eu estou sendo os olhos do senhor".

Sempre que podia, Beira-Mar também falava com o traficante paraguaio conhecido como Bigode. Em legítimo portunhol, os dois lamentaram outra apreensão de droga.

— Como está, mi amigo? — perguntou Bigode.

—Ah, estou malo, meu amigo, muy malo — respondeu Beira-Mar.

Os negócios sofriam contratempos. No período de 3 de junho de 2006 a 13 de julho de 2007, a Polícia Federal apreendeu com a quadrilha de Beira-Mar 462 quilos de cocaína, duas metralhadoras, dois fuzis e duas pistolas. O chefe do Comando Vermelho transformara a sua cela em um escritório do narcotráfico, que gerenciava somas milionárias: um quilo de cocaína custava R$ 15 mil no Rio de Janeiro, portanto, os 462 quilos retirados de circulação valiam R$ 7 milhões. Não se sabe, porém, a quantidade de droga não apreendida que abasteceu bocas de fumo nas favelas cariocas. Sem exagero, muito mais que o apreendido chegou ao destino.

A vida fácil de Beira-Mar logo acabaria. O governo inaugurou o primeiro presídio federal do Brasil, em 2006, no município de Catanduvas, no Paraná. Antes de os operários darem os retoques finais na obra, o primeiro inquilino da fortaleza já estava escolhido. Numa de suas conversas por telefone, Beira-Mar revelou que sabia disso: "Vamos deixar as coisas em ordem, pois a qualquer momento serei transferido. Hoje, às 11 horas, será inaugurado o presídio federal, e só Deus sabe quando me levarão para lá".

Nem mesmo a rigidez do novo cárcere seguraria as tramas de Beira-Mar. Após um ano no Paraná, a Justiça o mandou para o presídio federal de Campo Grande. Lá ele planejou o sequestro de um dos filhos do então presidente da República. A Polícia Federal evitou o crime graças a um delator, um narcotraficante colombiano também recluso no presídio. Ele financiaria o sequestro ao custo de 500 mil dólares. O colombiano decidiu entregar o esquema em troca de garantias para a mulher, presa em São Paulo. Segundo a Polícia Federal, pela vida do filho do presidente, Beira-Mar reivindicaria a sua liberdade e de outros traficantes. Aprendera com as Farc o caminho do terror. Tornara-se o bandido mais perigoso do Brasil. Em 2015, suas condenações por tráfico e assassinatos somavam mais de 300 anos de prisão[11].

* * *

O Comando Vermelho montou o seu quartel-general em duas áreas vizinhas na zona norte do Rio de Janeiro: a Vila Cruzeiro e o Complexo do Alemão. Laje sobre laje, os sobrados de tijolos nus e caixas-d'água azuis abrigam quase 90 mil pessoas. Uma imensidão vigiada pela igreja de Nossa Senhora da Penha. Do topo da escadaria de 382 degraus, talhados na rocha, destacam-se duas construções ao longe: a Casa Amarela e a Casa Verde. As duas eram residência oficial de dois chefões do tráfico. Nas janelas dos sobrados de três andares, com piscina na cobertura, os traficantes acompanhavam o movimento na parte de baixo. À frente de sua porta, um dos chefões tinha um paredão espesso, de mais de um metro de altura, permeado por vários buracos. Ali seus homens encaixavam os canos de fuzil para atirar contra quem ousasse entrar nas favelas sem autorização do tráfico.

Duas avenidas de intenso trânsito circundam o Complexo do Alemão e a Vila Cruzeiro. Das vias movimentadas, como afluentes do asfalto, partem ruas estreitas que sobem os morros. Na entrada delas, os traficantes armados montavam barreiras de contenção. Fincavam vigas de aço no asfalto para o motorista reduzir a velocidade em zigue-zague. No meio dos obstáculos, um carro de polícia se torna alvo fácil das rajadas de fuzil. Os tiros também podem atingir pedestres. Para alcançar a parte mais alta, os moradores pegam um mototáxi, ou seguem a pé nas escadarias que se afunilam em becos.

Dessa geografia acidentada, os bandidos saíram para fazer ataques na cidade em 2010. Na quarta-feira, 24 de novembro, ao menos trinta veículos foram queimados. Dezenove pessoas morreram. A polícia cercou a Vila Cruzeiro na manhã seguinte, trocou tiros com os traficantes, mas não conseguiu avançar morro acima. Um blindado do Batalhão de Operações Especiais, a tropa de elite da PM, partiu em direção a uma das barreiras do tráfico para rompê-la, mas acabou com três pneus furados. Recuou humilhado, atingido por garrafas de coquetel molotov. Os traficantes brandiram seus fuzis aos gritos de que escorraçaram o Bope, que naquela época ganhara notoriedade nas telas de cinema.

Um dia depois, o governo do Rio recorreu às Forças Armadas. A carta na manga surpreenderia os bandidos, que cantavam vitória. Protegidos dentro de blindados da Marinha, centenas de policiais militares e civis ganharam terreno nas favelas. O susto e o tamanho dos tanques dissuadiram a resistência. Dezenas de traficantes fugiram da Vila Cruzeiro por uma estrada de terra, na Serra da Misericórdia, que dava acesso ao vizinho Complexo do Alemão. Captadas de um helicóptero de TV, as imagens mostravam ao vivo a fuga de homens maltrapilhos, sem camisa, com fuzis na mão, para se entocar no morro vizinho. Era o exército vencido de Beira-Mar. Policiais em outro helicóptero miraram nos fugitivos, mas decidiram não atirar. Não queriam mostrar ao mundo uma carnificina.

Os blindados da Marinha avançaram na sequência em direção ao Complexo do Alemão. Tropa de elite do Exército, militares da Brigada Paraquedista cercaram o morro. Mais uma vez os traficantes tentaram resistir a tiros. Mais uma vez fugiram, agora para diversas favelas da cidade. Como vencedores da guerra, depois de uma semana de terror, policiais hastearam a bandeira do Brasil no alto do Alemão. Estabeleceram seus primeiros postos de comando na Casa Amarela e na Casa Verde.

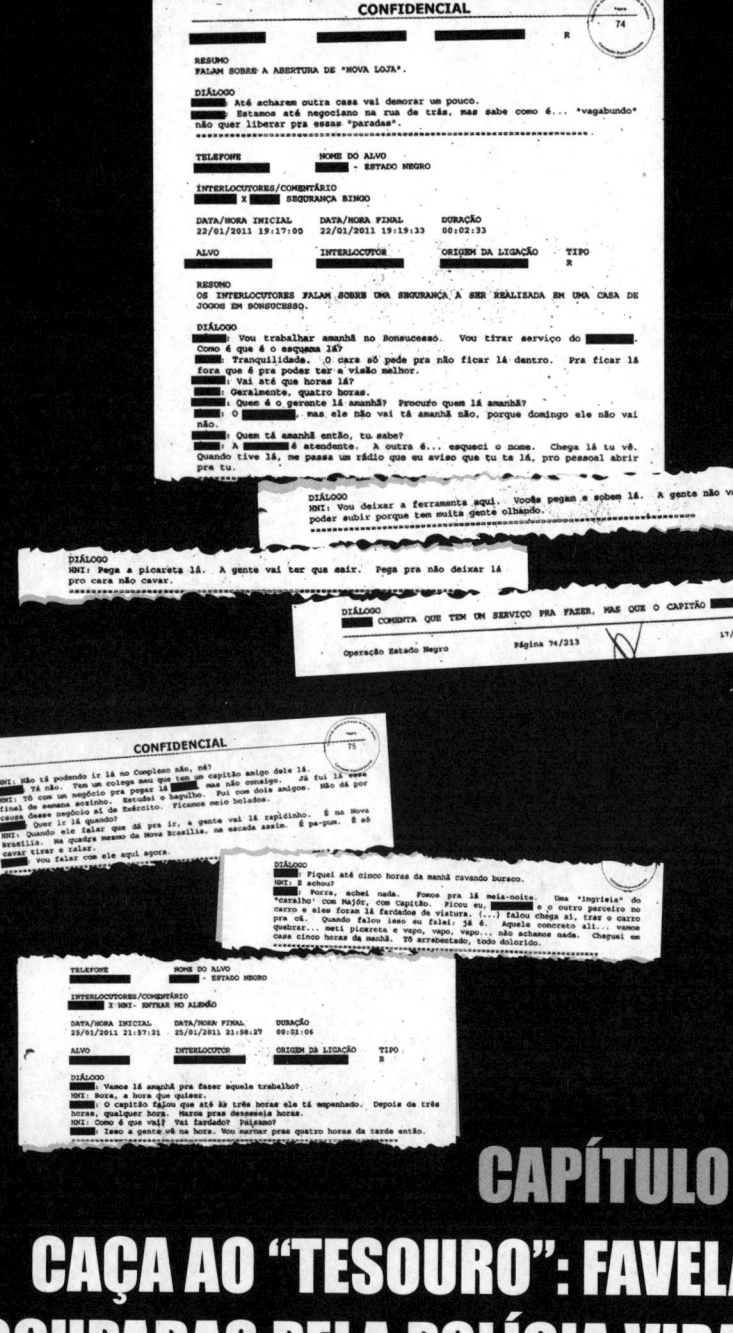

CAPÍTULO 7.
CAÇA AO "TESOURO": FAVELAS OCUPADAS PELA POLÍCIA VIRAM UMA NOVA "SERRA PELADA"

"Fora daí! Sai, sai", rosnava o policial grisalho para quem ultrapassasse a fita amarela e preta que cercava o arsenal. No pátio da Academia da Polícia Civil, no centro do Rio de Janeiro, contavam-se 156 fuzis, 184 pistolas, trinta e nove metralhadoras, quarenta e nove submetralhadoras, sessenta revólveres, trinta e quatro espingardas, quarenta e três granadas e dezenas de sacos cheios de balas. Nas caixas de papelão, acomodadas à direita, transbordavam cadernos de folhas sujas, de tanto ser manuseadas, com anotações sobre a venda de drogas. À esquerda, empilharam trinta e seis toneladas de maconha, 418 quilos de cocaína e 161 quilos de *crack*. Era o mostruário das apreensões feitas durante a ocupação do Complexo do Alemão e da Vila Cruzeiro.

Havia várias armas velhas que talvez nem disparassem mais. As autoridades da Segurança Pública sempre disseram que os narcotraficantes possuíam moderno poder de fogo. Então, logo surgiram razoáveis suspeitas de que policiais corruptos desviaram fuzis novos, durante a operação nos morros. Desconfiada disso, em vez de procurar a delegacia civil, uma equipe do Bope entregou direto à Polícia Federal o material que apreendera: dez fuzis de primeira linha, com mira telescópica, e uma metralhadora calibre ponto cinquenta, capaz de derrubar um avião.

Antes mesmo do cerco às favelas, a Polícia Federal investigava um esquema de corrupção entranhado nas polícias Civil e Militar. Muitos desses investigados, que ocuparam o Complexo do Alemão e a Vila Cruzeiro, estavam com os celulares grampeados. As conversas revelaram que eles subiam ao morro pouco interessados em libertar moradores das garras do tráfico. Na verdade, queriam se apropriar dos bens que os traficantes em fuga deixaram para trás. Procuravam drogas e fuzis, que julgavam enterrados em alguma parte das favelas. Invadiam casas atrás de roupas, joias e eletrodomésticos. Irritadas com o que viam, patrulhas do Bope atiravam nas telas dos televisores que saqueadores carregavam no ombro.

Investigado pelos agentes federais, o policial M. caiu no grampo quando falava com uma mulher não identificada que servia de informante. No submundo do narcotráfico, informante é o morador que fornece o mapa da mina, com pistas sobre os bandidos e as casas dos chefes da quadrilha. Quem não conhece o labirinto de becos dificilmente encontra o que procura nas favelas cariocas. Um dia após a ocupação da Vila Cruzeiro, o policial M. relatava a onda de saques.

— Ele [o traficante] tem uma [casa] aqui com duas piscinas, porrada de coisa, móveis de primeiro mundo. Aí eu falei: apanha tudo. Puta que pariu! Nego apanhou tudo, dei ar-condicionado, eu dei tudo para o pessoal levar — disse o policial M[12].

— E pra mim? Você não pegou nada pra mim, não? — a informante quis saber.

— Eu não trouxe nada porque ando sem mochila. Aí não tem como eu pegar coisas. Eu queria achar dinheiro ou ouro, mas nem... Todas as casas... Nego estourou tudo.

Quase uma hora depois, o policial M. telefonou para a namorada. Tinha novos detalhes sobre o dia agitado.

— Direto, batendo casa. Batendo coisa. Nego saqueando, mandando todo mundo saquear e levar as coisas. Computador. Todo mundo levando tudo dos malandros. Levando pra casa. Trabalhador levando tudo. Só coisa de primeiro mundo. Fazer o quê, né?

— É mesmo, é? — admirou-se a mulher.

— Eu vou te contar: hoje, nós entramos. Ontem, outros caras da PM tinham entrado. Brincaram nas casas, né. Brincaram nas casas mesmo. Toda casa de patrão [chefe do tráfico] que eu tinha [informação] já estava estourada.

— É mesmo?

— Eu com o informante *online* me falando: "Vai". Quando eu fui, arrebentaram a casa do[traficante] L. C. Aí a mulher não tava mais, não. Nego apanhou tudo. Arma. Ouro. Fui à casa do Espaguete, do Branquinho. Já estouraram. Maior mansão. Estouraram.

O policial M. dizia que "gente de bem, trabalhadores" se apropriaram dos bens de traficantes. Parecia justa recompensa para quem enfrentava a ameaça de fuzis, vivia humilhado e à mercê do destempero de bandidos. Mas a lei diz outra coisa. Todo patrimônio adquirido com dinheiro de atividades ilícitas, como a venda de drogas, deve ser apreendido e leiloado pelo governo. A renda obtida no leilão vai para investimento em segurança pública.

Ainda ao telefone, o policial M. contou a um homem — não identificado no grampo — que até os informantes da polícia, comumente chamados de X9, conseguiram um quinhão na caça ao tesouro.

— Os X9 se deram bem. Camisetão de marca. Botando tênis no pé, porra. Nego foi só para ganhar roupa...

Policiais militares também se envolveram, mas com o cuidado de apagar as digitais. No caso deles, a rapinagem incluía o desvio das armas de guerra.

— Disseram que um PM achou dez fuzis lá. Outro achou quinze... Botaram até fogo na casa pra não deixar vestígios — contou o policial M.

— Vão passar o Natal bonito — respondeu o outro.

A sanha era tanta que o também policial F. virou "garimpeiro", escavador de buracos no Complexo do Alemão. As favelas agora eram comparadas à Serra Pelada, onde ficava o famoso garimpo da década de 1980, que reuniu um formigueiro de gente no Estado do Pará. O policial F. queria localizar armas e dinheiro. Acreditava que os criminosos enterraram o tesouro durante a fuga. Não seria fácil encontrá-lo numa área de 296 hectares, equivalente ao tamanho de 300 campos de futebol. A quem perguntasse F. dizia que estava atrás do ouro do bandido para entregar na delegacia. Só cumpria o seu dever de policial, argumentava ele.

Não convenceu a Polícia Federal, que o acusou de encher mochilas com os pertences saqueados nas casas dos traficantes, carregando o que podia para revender. O policial F. fazia bico de camelô numa área do centro do Rio, na qual se apertavam 1.600 bancas apinhadas de produtos eletrônicos. Ele morava na periferia da zona norte, distante do Complexo do Alemão, mas queria transferência para a 22ª Delegacia da Polícia Civil, localizada próxima ao conjunto de favelas. Apesar das investidas, acabaria lotado em outra unidade. Depois virou plantonista na área de repressão ao tráfico de armas. Quando ocorreram as ocupações nas favelas, F. participou da operação mesmo sem autorização de sua chefia.

No final da manhã de segunda-feira, um dia após a ação que expulsou os bandidos no Complexo do Alemão, o policial F. estava no morro quando falou com um homem, também não identificado pela Polícia Federal[13].

— Tô aqui dentro. Tá todo mundo aqui, parceiro. Tudo o que é batalhão, parceiro. Tudo o que é viatura rodando aqui, irmão — disse F.

— Todo mundo tentando a sorte — respondeu o interlocutor.

— É foda! Maior desespero, foda — falou o policial, rindo.

— Disseram que aí virou Serra Pelada, aí em cima do morro — comentou o homem.

— Pô, tá. Nego tá cavando tudo aqui, parceiro. De vez em quando, Nego acha alguma coisa. Aqui é enorme, parceiro. Sem informação fica difícil de achar. É foda! Casa de vagabundo tá toda revirada já. Não sobra nada. Não fica nada pra contar história.

Uma hora depois, F. conseguiu falar com um informante, o X9 que poderia guiá-lo até o tesouro dos bandidos. Recebeu a dica de que havia "coisas bem melhores enterradas no morro" e se lançou de vez na aventura. A Polícia Federal acompanhava seus passos: F. explorou passagens subterrâneas, cavou inúmeros buracos e, finalmente, se cansou. Acabou fotografado pelos investigadores quando descansava, ainda de uniforme da polícia, sentado em uma escadaria com as mãos sobre os joelhos e o olhar perdido.

"Em nenhuma das fotos havia situação de flagrante. Todas elas revelam o trabalho e o cansaço do policial naquele momento de guerra", disseram os advogados de defesa. O Ministério Público denunciou F. à Justiça por formação de quadrilha e comércio ilegal de armas desviadas.

* * *

A caça ao tesouro continuou nos meses seguintes. No dia 24 de janeiro de 2011, o policial C. foi procurado por um colega de farda, outro não identificado pela Polícia Federal, que pedia ajuda para explorar o território no Complexo do Alemão. Àquela altura dos acontecimentos, a Brigada Paraquedista do Exército ocupara o morro a pedido do governo do Rio de Janeiro[14].

— Tô com um negócio pra pegar lá, mas não consigo. Já fui lá esse final de semana sozinho. Estudei o bagulho. Fui com dois amigos. Não dá por causa desse negócio aí do Exército. Ficamos meio bolados — contou o homem.

— Quer ir lá quando? — perguntou o policial C. Ele dizia ter um "capitão amigo", supostamente da Polícia Militar.

— Quando ele [seu amigo] falar que dá para ir, a gente vai lá rapidinho. É na favela de Nova Brasília. É pá, pum. É só cavar, tirar e ralar — disse, sem revelar o que procurava.

Logo em seguida, C. fez contato com o capitão e, no dia seguinte, ligou de volta para o colega.

— O capitão falou que, até as três horas, ele tá empenhado. Depois das três, pode ser a qualquer hora. Marca para as 16 horas — disse o policial C.

— Você vai fardado? À paisana?

— Isso a gente vê na hora. Vou marcar para as quatro da tarde, então.

Na hora decisiva, o tal capitão "não foi firme, ficou com medo". O colega de C. estava bastante preocupado em perder o "tesouro" para algum concorrente e, por isso, aconselhou: "Pega a picareta. Pega pra não deixar [a ferramenta] lá e outro cara cavar". Fracassado o plano, C. relatou a situação a um tenente da PM do Batalhão de Olaria, unidade próxima ao complexo de favelas. Contou que o "local estava marcado com um ferro", pronto para a escavação, mas um militar do Exército "peitou e o capitão mandou sair". "Fui à paisana para poder cavar", lamentou-se C. Persistente, finalmente conseguiu apoio para procurar "o bagulho", algo que a Polícia Federal até hoje não sabe se era arma, droga ou ouro. O policial C. não teria sorte, cavaria em vão.

— Fiquei até cinco da manhã cavando buraco.

— E achou? — quis saber o colega de farda que havia dado a dica.

— Porra! Achei nada. Fomos pra lá meia-noite. Uma ingresia do caralho com o major, com o capitão. Ficou eu e outro parceiro no carro. Eles foram fardados, de viatura. "Falou, chega aí, traz o carro pra cá." Quando falaram isso, eu disse: "Já é. Vamos quebrar aquele concreto ali". Meti picareta. Vapo, vapo, vapo... Não achamos nada. Cheguei em casa 5 da manhã. Tô arrebentado. Todo dolorido.

A informação sobre a localização do tesouro estava totalmente errada.

* * *

Os plantonistas sonolentos levaram um tremendo susto na delegacia próxima ao Complexo do Alemão. Eram 6 horas da manhã, ainda escura no horário de verão, quando os policiais federais saíram das caminhonetes estacionadas nas proximidades e irromperam na porta. Nos últimos anos, o país se acostumara a ver os agentes de uniforme preto, fortemente armados, algemar políticos e recolher pilhas de documentos na casa dos suspeitos. Agora, naquela sexta--feira de fevereiro de 2011, a missão seria ainda mais surpreendente. Os policiais federais cumpriam ordens judiciais de busca e apreensão dentro de uma delegacia da Polícia Civil, atrás da quadrilha infiltrada dentro da repartição pública que deveria investigar crimes.

A Justiça autorizara a prisão de trinta e dois policiais civis e militares acusados, pelo Ministério Público, de revender os fuzis que apreendiam nas favelas, de associação com as milícias e com a máfia dos jogos ilegais, para a qual eles atuam como guarda-costas dos bicheiros. A rapinagem na Vila Cruzeiro e no Complexo do Alemão apareceu nos grampos dessa investigação. Até então, os policiais suspeitos de corrupção evitavam o celular por medo de cair numa escuta telefônica. Sabiam que muitos criminosos acabaram na cadeia por falar demais. A ocupação das favelas, porém, mudou os planos radicalmente. Eles precisavam ligar para os informantes que dariam a localização das casas a serem saqueadas. Assim, as conversas gravadas revelaram a caça ao tesouro do tráfico.

A Polícia Federal batizou a investigação de Operação Estado Negro. Achava que o termo cabia, porque o crime organizado contaminara o poder público. A escolha incomodou as autoridades fluminenses. "Houve pedidos para trocar o nome, pois podia dar um tom pejorativo, como se todo o Rio de Janeiro estivesse contaminado e podre. Além disso, teria uma repercussão internacional negativa", disse um policial. Assim, quando saíram a campo para prender os acusados e até mesmo procurar corpos de vítimas na baía de Guanabara, os agentes federais divulgaram para a imprensa que a operação se chamava Guilhotina. Quase uma semana depois, a equipe de investigadores entregou seu relatório ao delegado federal responsável. O documento interno e confidencial mantinha o nome Estado Negro[15].

* * *

Assim que a PM saísse do morro, os traficantes voltariam para restabelecer o quartel-general do Comando Vermelho. Moradores e informantes sofreriam represálias pelo saque nas casas dos bandidos. A polícia já não podia bater em retirada. Sem jeito de manter sozinho a ocupação, o governo do Rio pediu ajuda às Forças Armadas mais uma vez. Logo que a Presidência da República autorizou a nova operação militar na Vila Cruzeiro e no Complexo do Alemão, o Exército despachou para o morro um contingente de 1.700 homens, grande parte deles com experiência na missão de paz das Nações Unidas no Haiti, país atormentado pelas guerrilhas urbanas, algo próximo da realidade do Rio.

Os soldados depararam com a corrupção policial nos primeiros dias de trabalho. Apreenderam 106 mil reais na mochila de um suspeito de vender drogas e, de boa-fé, entregaram o preso e o volume de dinheiro a policiais que deveriam levá-los à Delegacia da Polícia Civil, para investigação do caso. Uma parte do dinheiro foi desviada no caminho. Os inspetores de plantão disseram que receberam apenas 75 mil reais. O Exército engoliu em seco a ousadia dos corruptos, mas aprendeu bem a lição. A base militar instalada no morro passou a registrar todas as apreensões feitas na favela, para só depois encaminhar o material às delegacias[16].

Fora o imprevisto na largada, o Exército controlou o território com muita facilidade. Agora esperava que os moradores dessem notícia sobre bandidos, porventura ainda escondidos no morro. A estratégia para atrair informantes não foi lá muito feliz. Os militares passaram a distribuir panfletos em que se lia: "A pacificação de sua região também depende de você". O problema era a ilustração no papel. Acima da mensagem, havia o desenho de um garoto que falava com um soldado, apontando o dedo em riste para um balãozinho, como aqueles que se vê nas revistas em quadrinhos. Ali gravitavam as figuras de um homem armado e encapuzado, um fuzil e uma bomba de pavio aceso. O panfleto dava a impressão de que o menino se tornara "dedo-duro", um X9 na gíria local, fama que ninguém gosta de ter em favelas, por anos dominadas pelo tráfico[17].

Nas rondas diárias, os militares da Brigada Paraquedista exploravam aquele enorme território recém-conquistado. O jipe do Exército subia ladeiras quase tocando na porta das casas e, de repente, podia chegar a um largo onde havia criação de porcos e cavalos magros. Parecia uma zona rural perdida dentro da favela que, por mais de dez anos, pertencera aos bandidos. Noutra situação, uma multidão de crianças, que não se sabe como, surgia dos becos para cercar o jipe aos gritos.

Os soldados também se interessaram pelas pichações nos muros. Uma delas dizia: "Esses são os meninos que as meninas gostam". O grafiteiro pintou os dizeres cor-de-rosa sobre o fundo verde e, logo abaixo, desenhou um jovem mal-encarado, de olhos sombreados pela aba do boné, a metralhadora apontada para um helicóptero em queda livre. A pintura fazia clara apologia ao chefe do tráfico de drogas e antigo morador da Casa Verde. Em outubro de 2009, ele e os comparsas derrubaram a tiros um helicóptero da Polícia Militar no Morro dos Macacos, favela também dominada pelo Comando Vermelho, em Vila Isabel, na zona norte da cidade. Três policiais morreram; um deles saiu da aeronave com o corpo em chamas. O governo do Rio chamou aquele dia de "11 de setembro da Segurança Pública", em referência ao atentado às torres gêmeas nos Estados Unidos.

Um soldado achou melhor simplesmente apagar o grafite, mas seus colegas de farda viram boa oportunidade de apresentar outra mensagem. Fizeram retoques na pintura original para sugerir os novos meninos que as meninas deveriam gostar de agora em diante, no lugar dos traficantes. Assim, o boné do garoto se transformou numa boina avermelhada, semelhante à usada pelos paraquedistas. Sumiram o helicóptero e o cano da metralhadora. Por fim, escreveram em amarelo a frase: "Brasil acima de tudo, paz, paz, paz, paz"[18].

Só não dava para retocar a realidade. Nem conseguir a paz pela simples repetição da palavra. Nas caminhadas pelo complexo de favelas, soldados encontravam jovens deitados nas calçadas de barriga para cima. Vestidos apenas de bermudas, os rapazes observavam o movimento dos militares pelo canto dos olhos, sem mover a cabeça. Desconfiavam da operação militar e do espetáculo que ela trouxera. Naqueles dias, havia intensa movimentação de gente estranha à rotina do morro. Jornalistas, policiais, sociólogos e políticos, entre outros tantos, circulavam como se explorassem um território estrangeiro, conquistado pelas Forças Armadas. Todos queriam andar de peito aberto nas ruas dominadas havia décadas por traficantes. Curiosos, que nem sempre olham onde pisam, entravam na casa de moradores pensando se tratar de uma passagem entre os becos da comunidade. Turistas logo circulariam nas favelas em carros parecidos aos usados em safári.

Invadidos na privacidade, os moradores tinham motivos de sobra para desconfiar daquela operação, que saía bem na foto dos jornais. Três anos antes, em julho de 2007, a polícia entrara no Complexo do Alemão com a missão de prender bandidos. Matou dezenove pessoas acusadas de ligação com o narcotráfico. Sete vítimas levaram tiros nas costas, principal indício de crime de execução. Organizações de direitos humanos protestaram, sem muito resultado. Durante quatro meses, a Polícia Militar permaneceu na favela e, de repente, se retirou sem mais nem menos. Talvez para mostrar que a ocupação agora seria definitiva, os soldados do Exército arrancavam entusiasmados as vigas de aço fincadas no asfalto pelos criminosos. A barreira de contenção controlava a passagem de carros, impedia a entrada da polícia na favela e garantia o domínio do território. Apesar do esforço dos militares, os traficantes mantiveram a venda de drogas em diversos pontos, mas sem ostentar fuzis como antes ou controlar totalmente a área. Agiam agora na clandestinidade dos becos e, mesmo acuados, continuavam impiedosos como donos do morro. Um rapaz de vinte e dois anos, envolvido com o tráfico desde a adolescência, fora expulso da Vila Cruzeiro sob a acusação de assaltar moradores. Pelas regras do tráfico, que finge proteger a favela de ladrões, ele morreria se voltasse ao morro. Após dez meses longe, o jovem decidiu regressar à comunidade quando houve a ocupação do Exército. Na véspera do Natal de 2010, um bando de traficantes o matou a tiros, quando ele deixava um baile, e ainda arrastou o corpo por um bom pedaço do asfalto na rua da casa de sua mãe.

O crime aconteceu na rua Seis, em local próximo a um muro vermelho com marcas de bala. Antes ou depois dos tiros, não se sabe, alguém desenhou no paredão uma pomba branca e uma Bíblia, aberta no capítulo 26 do Evangelho de São Mateus, que anunciava o martírio de Jesus Cristo. Acima da pintura, incrédulos picharam as iniciais dos nomes de traficantes. Agora, após a morte do rapaz, de nada adiantaria ao Exército apagar as inscrições e escrever paz no lugar.

CAPÍTULO 8.
O CHEFE DO TRÁFICO QUE DECLARAVA IMPOSTO DE RENDA E AGIA COMO SENHOR FEUDAL

A estrada da Gávea serpenteia pelo morro da Rocinha num vaivém de carros, ônibus, pedestres em fiapos de calçada e no zigue-zague intenso dos mototaxistas, que buzinam para abrir caminho e atropelariam a multidão à frente, se não freassem nos calcanhares. Empilhados laje sobre laje até o topo do morro, os barracos espraiaram uma mancha de concreto no verde escuro da floresta da Tijuca. Formaram paredões lado a lado, entre os quais correm becos estreitos que de repente se abrem em algum largo para voltar a se fechar adiante. Esses lugares carentes de luz do sol têm bares, lojas de roupas, comércio variado, salões de beleza e muitas janelas sem paisagem. A macarronada de fios de energia, arqueados sobre a cabeça de quem passa, esconde raros pedacinhos do céu. As ratazanas ali adquiriram hábitos diurnos. Essas condições sub-humanas elevaram os índices de tuberculose em pleno século XXI, tudo agravado pelo esgoto que escorre por todos os caminhos.

A Rocinha ostenta o título de maior favela do Brasil: 70 mil favelados que penetraram uma área vip da zona sul carioca, pertinho da valorizada praia de São Conrado. E pensar que tudo começou de forma tão singela com as várias chácaras que produziam legumes e frutas, na década de 1920. Os pequenos agricultores desciam o morro para vender nas feiras da vizinhança as hortaliças frescas de sua "rocinha", que daria nome à favela. Nas décadas seguintes, a comunidade se transformou em refúgio para muita gente sem condições financeiras de manter um teto, principalmente de nordestinos à procura de moradia na cidade maravilhosa.

Desde a retomada do Complexo do Alemão, a Rocinha se tornou a "bola da vez". Era sempre o mesmo desafio lançado nas rodas de discussão, desde a mesa de bar até a sala de aula nas universidades. Alguém dizia: "Quero ver a polícia ocupar a Rocinha. Lá é zona sul, onde as autoridades não vão permitir mortos numa operação policial". A geografia do morro superpovoado, cheio de becos apertados, parecia inviabilizar a ação bem-sucedida dos tanques da Marinha, realizada no Alemão em novembro de 2010. Assim, os traficantes da Rocinha continuaram a vida, até porque a favela naquela época estava fora da área de domínio do Comando Vermelho.

A facção ADA (Amigos dos Amigos) controlava o território. Pelo radiotransmissor, "olheiros" na entrada do morro avisavam os bandidos de tocaia na parte alta sobre os estranhos que subiam. O traficante Antonio Francisco Bonfim Lopes, que atende pelo apelido de "Nem", chefiava a quadrilha na Rocinha. Enquanto Beira-Mar tinha a fama de sanguinário, Nem encarnava o papel de bom-moço, um pretenso rapaz trabalhador que, sem alternativa na vida, se empregara no comércio de drogas para sustentar a família. Bem articulado, ele sabia levar as pessoas na conversa; até policiais mais experientes se impressionavam.

Traficantes reclusos em favelas, à margem da lei, vivem sem documentos pessoais. Quando muito, têm uma carteira de identidade. Mas Nem mantinha regular o CPF (Cadastro de Pessoa Física). Um dos homens mais procurados pela polícia do Rio declarava Imposto de Renda. No exercício de 2008, ele informou à Receita Federal rendimentos tributáveis de 29.065,56 reais e pagou imposto de 1.123,22. Ainda assim, levou multa porque entregou a declaração em 2 dezembro — fora do prazo legal. No ano seguinte, contabilizou ganhos de 32.278,15 reais, recolheu 1.414,31 parcelados em oito vezes. Não se sabe por que a renda caiu a 13.396,91 reais, segundo o informe apresentado ao Fisco em 2010[19], ano da retomada do Complexo do Alemão.

O narcotráfico não se encaixa na categoria de rendimentos tributáveis. Talvez o chefe da Rocinha temesse ser capturado como Al Capone, gângster norte-americano da década de 30, preso por crime de sonegação de impostos. Nem sempre procurava justificar a renda. Dizia trabalhar como supervisor de entregas, sem especificar de qual mercadoria. Por coincidência ou não, a boca de fumo mais lucrativa da favela, localizada ao pé do morro, usava motoqueiros para entregar maconha e cocaína, uma espécie de sistema *delivery*.

Investigadores de polícia afirmam que Nem podia ser ainda mais criativo. Ele inventara um novo esquema no tráfico de drogas. "A quadrilha tinha um modo muito específico de atuar. Nem ocupava papel semelhante ao de um senhor feudal, que possuía vassalos na Idade Média", afirmou o inspetor de polícia, em tom professoral, durante um depoimento à Justiça[20]. Fica difícil não lembrar que a favela começou do conjunto de chácaras e que o nome de um de seus principais lugares lembrava essa história, o Largo do Boiadeiro. "A favela era dividida em subterritórios por Nem, e cada vassalo recebia uma área para vender cocaína ou maconha", acrescentou o policial.

Um dos "servos" depositava em contas bancárias 90 mil reais arrecadados semanalmente. Segundo a polícia, ele cuidava da boca de fumo na parte baixa da favela, onde o esgoto a céu aberto corria numa vala de concreto, ladeada de lojas e de sobrados residenciais. A miséria nunca impediu que o tráfico de drogas faturasse bem.

* * *

A Polícia Civil infiltrou um espião[22] no feudo da Rocinha. M. trabalhava para o tráfico, aceitou mudar de lado e passou a informar as delegacias sobre a movimentação dos criminosos. Ele se transformou no que os bandidos, com todo desprezo possível, chamam de X9. Não demoraria muito para M. virar a casaca de novo. Com acesso a investigações sigilosas da polícia, começou a vazá-las para os traficantes, que assim escapavam da cadeia. Aos vinte e cinco anos, entrara em um perigoso jogo de traição que envolvia não apenas a espionagem, mas também o desvio de armas.

Tempos depois, M. confessaria que policiais embolsavam 50 mil reais da quadrilha de Nem, todo dia 15 do mês, uma espécie de "mensalão" do tráfico. Os agentes corruptos vendiam a traficantes os fuzis, as pistolas e metralhadoras que apreendiam em outras comunidades. M. negociava pessoalmente com os criminosos. Recordava-se de algumas transações. Em junho de 2009, ele chegou ao pé da Rocinha com dois policiais, estacionou o Palio Weekend, próximo ao ponto do mototáxi, e subiu a ladeira sozinho. Levava um pacote embaixo do braço para entregar a um comparsa de Nem. O bando pagaria 15 mil reais por duas pistolas Glock, de ferrolhos dourados, apreendidas horas antes no Morro da Coroa, no centro do Rio.

Noutra transação, agora durante a noite, M. e um policial subiram a Rocinha em um Fiat Siena. No porta-malas do carro, havia armamento pesado embrulhado em um lençol. Capaz de derrubar um helicóptero, igual ao usado pela Polícia Militar, a metralhadora calibre ponto trinta estivera em poder de traficantes do Comando Vermelho no Morro da Mangueira, celebrizado pela escola de samba, na zona norte carioca. M. preferiu receber no dia seguinte os 55 mil reais pela arma de guerra. Não lhe parecia seguro pegar o dinheiro àquela hora e arriscar-se a um assalto após deixar a favela.

M. continuou a negociar armas, sem imaginar que a Polícia Federal espreitava os seus movimentos. Em agosto de 2010, a Justiça determinou a sua prisão sob a acusação de tráfico de drogas, comércio ilegal de armas e formação de quadrilha. A partir desse momento, M. virou alvo potencial de uma queima de arquivo. Sua morte passou a interessar porque, uma vez encarcerado, ele poderia contar o que sabia sobre a corrupção. Para piorar as coisas, ao saber da ordem de prisão, M. se entregou a policiais civis suspeitos de comandar o esquema. Depois disso, desapareceu do radar.

O superintendente da Polícia Federal no Rio, que exigia a custódia de M., deu um ultimato à Secretaria de Segurança Pública: se preciso, denunciaria à imprensa o sumiço da importante testemunha contra o narcotráfico. A advertência deu resultado imediato. Algumas horas mais tarde, policiais civis entregaram o preso são e salvo. Nos depoimentos à Polícia Federal, M. forneceria detalhes sobre traficantes e agentes corruptos.

Em outubro de 2011, ele relatou à Justiça os negócios que mantivera com a quadrilha de Nem. Falou sobre a venda de armas para os traficantes e de suas incursões na Rocinha. Um advogado quis saber se a equipe de policiais suspeitos só cometia crimes ou se alguma vez agira dentro da lei. Afinal das contas, eles faziam apreensões, desfalcavam o tráfico.

— O senhor quer saber se fazem gol de mão ou gol verdadeiro? Eu me recordo das apreensões de um fuzil AK-47 e quarenta quilos de cocaína em São Carlos [no centro do Rio], mas que teriam sido gol de mão.

— Como assim?

— Gol de mão é quando o traficante coloca a droga para a polícia achar e depois ir ao jornal fazer aquela papagaiada toda.

Ao final da bateria de interrogatórios, M. pediu para ser incorporado ao programa de proteção à testemunha, junto com familiares. Ele também queria continuar no presídio federal em Mato Grosso do Sul, apesar do rigoroso regime disciplinar. Achava que seria morto, se fosse transferido para uma penitenciária fluminense[21].

* * *

O Corolla preto de vidros escuros descia a Estrada da Gávea em direção à zona sul. Ao fazer a curva para deixar a Rocinha, o motorista reduziu a velocidade como se pensasse em dar meia-volta, mas decidiu continuar em frente, só que bem devagar. A equipe do Batalhão de Choque da PM achou a manobra suspeita e fez sinal para o motorista estacionar. Naquela noite, 9 de novembro de 2011, as forças de segurança cercaram o morro para ocupá-lo com ajuda de tanques da Marinha, a mesma estratégia adotada na Vila Cruzeiro e no Complexo do Alemão, um ano antes. Três policiais civis e um policial militar foram presos quando escoltavam carros com cinco traficantes em fuga. Por causa do flagrante, o Batalhão de Choque peneirava o trânsito na favela atrás de novos flagrantes.

Ao volante do Corolla, A. mostrou o passaporte diplomático de cônsul honorário na África. Sentado ao lado, seu pai, D., disse pertencer à Ordem dos Advogados do Brasil. No banco traseiro, L. também se identificou como advogado. O sargento pediu para revistar o carro, mas os três negaram, desceram do veículo e travaram as portas. Mesmo com o trio desembarcado, o Corolla se mexeu discretamente com a traseira rebaixada, como se levasse algo pesado e vivo no porta-malas. O sargento chamou dois oficiais.

L. queria falar em particular com o tenente que chegara ao local. Os dois se afastaram a passos lentos. "Tem dinheiro no carro. Reais e euros. É um crime de evasão de divisas. Vocês podem resolver essa situação da maneira que quiserem", disse o advogado, segundo relato que o tenente faria à Justiça, tempos depois. Havia 59 mil reais e 50 mil euros numa mochila no banco traseiro. Para o oficial da PM, tratava-se de clara proposta de suborno. Ele avisou os superiores. O Comando do Batalhão de Choque, por sua vez, relatou o caso à Superintendência da Polícia Federal, situada a vinte quilômetros dali. O tenente decidiu escoltar o Corolla[23] até a PF.

Avisados da decisão, os três homens embarcaram no carro. O suposto cônsul A. assumiu o volante, seguindo a uma velocidade de trinta quilômetros por hora, enquanto o pai, D., falava ao celular. Num trecho mais adiante, A. estacionou o Corolla de novo. Os três desejavam ir à 15ª Delegacia da Polícia Civil, próxima dali, no bairro da Gávea, e lá abririam o porta-malas. O tenente respondeu que não com a cabeça. D. teria insistido em algum pagamento em dinheiro. "Agora, sim, todos nós vamos para a Polícia Federal, de qualquer jeito", reagiu o tenente.

A. engatou a primeira. Uma caminhonete da PM vinha logo atrás, outra na frente e uma terceira ao lado do Corolla, que seguia rente ao meio-fio. Minutos depois, A. parou o carro outra vez. Começou nova discussão com o PM. Em meio ao bate-boca, chegaram ao local, em carros particulares, dois agentes e um delegado da Polícia Civil que trabalhava num município vizinho a sessenta quilômetros de distância do Rio. Não estava claro por que o delegado entrou na história e queria levar o Corolla à 15ª Delegacia, como desejavam os advogados. O tenente puxou a faca da cintura de um colega, avançou a passos decididos e cortou o pneu do carro.

A tensão aumentou quando surgiram as viaturas da Core. A tropa de elite da Polícia Civil intervinha a favor do delegado. O momento expunha a velha rivalidade entre policiais civis e militares. A rusga terminaria em confronto, se um delegado da Polícia Federal não aparecesse para acalmar os ânimos. Ele abriu caminho no tumulto e mandou que o porta-malas fosse aberto. Assim que desativou a trava no painel do volante, A. recebeu ordens para se afastar dali. Obedeceu com uma expressão de temor no rosto. Dois policiais apontaram os fuzis para o bagageiro. Outro fazia mira com a pistola. Quem estivesse dentro seria morto, se reagisse.

O homem alto dobrou os joelhos, moveu as pernas, mas, antes de tocar o chão, teve o corpo puxado e saiu meio de banda do porta-malas. Ele conseguiu pisar no asfalto, porém um policial militar o puxou pelas costas impedindo que se endireitasse. Levantou as mãos. Os seus pulsos foram imediatamente unidos às costas por um agente federal que mantinha a arma em punho. Policiais cercaram o preso para tirar fotos com o celular. Na tentativa de esconder a cara, o homem colocou a cabeça no ombro do agente que o segurava de frente, mas alguém puxou seu cabelo, fazendo-o levantar o rosto, enquanto um terceiro lhe segurava o queixo para o alto. Cinegrafistas da imprensa filmavam no chão. Um helicóptero da Polícia Civil registrava as imagens do alto.

Aos trinta e cinco anos, moreno, cabelos negros e encaracolados, o sujeito era bem diferente do que aparecia na foto de "procura-se", divulgada pela polícia. Exaustivamente publicada nos jornais, junto com notícias sobre a criminalidade na Rocinha, a foto mostrava um rapaz franzino, de camiseta largada, sorriso de coringa, com ar de psicopata e cordão de ouro no pescoço. Agora, ao ser preso, ele tinha encorpado, trajava camisa de manga comprida, calça social e sapato. "Eu sabia, eu sabia", gritou um policial, comemorando. Acusado de chefiar por cinco anos o tráfico na Rocinha, Nem estava preso.

Levado a uma sala da Polícia Federal, ele se negou a delatar os policiais corruptos para os quais pagava propina. Delegados experientes, que começavam a interrogá-lo agressivamente, logo se rendiam ao carisma, à fala articulada e, atentos, ouviam a história de que ele ingressara no tráfico para ajudar uma filha doente. Nem riu quando perguntaram se faturava R$ 10 milhões por mês com a venda de drogas, como divulgado na imprensa. A conversa durou dez horas, sem que os investigadores arrancassem informações relevantes.

Quatro dias após a prisão, as forças de segurança ocuparam a favela sem disparar tiros. Os bandidos fugiram. A bandeira do Brasil tremulou no alto da Rocinha. A ocupação mais parecia um espetáculo cinematográfico encenado pelas forças de segurança. Durante a incursão pelo morro, helicópteros da polícia davam voos rasantes sobre casebres e barracos. Acuados e com medo de tocar no assunto, moradores acompanhavam em silêncio todo aquele movimento. Nunca seriam ouvidos, mesmo se falassem.

* * *

A., seu pai, D., e o colega L. sentaram-se diante do juiz para explicar por que transportavam um traficante no porta-malas do Corolla.

Eles disseram que Nem os contratara como advogados, pois queria se render à polícia e achava prudente ter assistência jurídica, no momento em que se entregasse. Os reais e euros encontrados no carro seriam tão somente pagamento de honorário. Segundo essa versão, Nem viajava no porta-malas a pedido dele mesmo, pois temia ser morto por desafetos ao sair da favela.

Mais emotivo, L. chorou ao negar oferta de propina para os policiais. D. também jurou inocência, apresentou-se como advogado bem-sucedido, a ponto de ser indicado ao cargo de desembargador. Os dois estavam presos fazia algum tempo. Já A. — chamado de suposto cônsul em documentos da Justiça — ficara em liberdade, pois não o acusaram da tentativa de suborno. A. insistia que era um diplomata. O juiz perguntou se ele presenciara a oferta de propina: "Eu não vi. Um dos policiais chegou a comentar: 'o senhor está de acordo com o que estão falando?'. Eu disse: 'Não sei, não participei da conversa. É com vocês'". Oito meses depois de suas prisões, a Justiça condenou L. e D. a dois anos de prisão[24].

∗ ∗ ∗

O líder comunitário da Rocinha colecionava fotos com políticos e celebridades. Posara ao lado de presidentes da República, de esportistas famosos e, quando podia, abraçado a Sérgio Cabral, o então governador do Rio de Janeiro. Negro, alto e forte, tinha quarenta anos e um rosto infantil. Sempre sorria diante das câmeras, mas longe dos *flashes* não era incomum olhar o interlocutor, desconfiado. Franzia a testa ao ouvir perguntas sobre a favela, como se expressasse a tensão de morar num local dominado pelo narcotráfico. Fora as fotos, o líder comunitário mantinha contato com o governador por *e-mail*[25].

Muitas mensagens revelavam a triste rotina da favela. "Caro amigo, tem uma menina morta na Rocinha, há dois dias. Não consigo a remoção de forma nenhuma. Me coloque em contato com alguém que possa me auxiliar, por favor, abraços", escreveu o líder, no dia 30 de maio de 2011, às 15h52. Não se sabe a qual corpo ele se referia. O governador respondeu onze minutos depois, retransmitindo a mensagem ao secretário de Segurança Pública e à chefia da Polícia Civil: "Vejam essa situação, por favor". Quase dois anos depois, o secretário não se recordava do episódio nem de seu desfecho.

Noutro *e-mail*, de 17 de outubro de 2009, o líder comunitário reconforta Cabral após uma tragédia: "Eu vejo o governo do Estado combatendo a criminalidade de verdade. Isso que aconteceu hoje é desespero dos criminosos, mas nós confiamos em nossos governantes. Força, ânimo!". Naquele dia, traficantes do Morro dos Macacos mataram três policiais ao derrubarem a tiros o helicóptero da PM que sobrevoava a comunidade, na zona norte da cidade. Após a ocupação do Complexo do Alemão, militares do Exército encontrariam, nos muros da favela, pinturas da queda da aeronave em homenagem ao feito dos bandidos.

Interesses pessoais também faziam parte das conversas entre o líder comunitário e Cabral. "Preciso de seu apoio para me encaminhar a alguma [pessoa] que possa me ajudar no IML. Não deixe, amigo, que nossa família sofra mais. Ficar três dias aguardando para enterrar a vovó, como se ela fosse uma indigente, se ela tem uma família linda. Desculpe incomodar, mas neste momento só pensei em você. Obrigado", diz a mensagem de 20 de setembro de 2009. "É meu amigo e está precisando da nossa ajuda, abraços", respondeu o governador com cópia para a chefia da Polícia Civil, ao qual o IML fica subordinado.

O líder comunitário sempre foi útil a políticos. Avisava Cabral sobre atraso nas obras do governo dentro da Rocinha. Como recompensa, voltava ao assunto da avó: "Meu caro amigo, bom dia! Gostaria muito de saber quais são as possibilidades de você, amigo, colocar em algum equipamento das obras, que serão inauguradas muito em breve, o nome da minha amada e querida avozinha, nascida em 1920, mulher guerreira e valente, [que] morreu aos 89 anos". Para o governador não havia problema: "Querido, faremos com certeza essa justa homenagem à sua avó, abraços".

Enviada em 13 de novembro de 2011, às 21 horas, a última correspondência conhecida comemorava a ocupação da favela pela polícia. "Só Deus poderá pagar o bem que vocês fizeram à Rocinha. Ao acompanhar o levantamento das bandeiras [do Brasil, sempre hasteadas após a conquista do território], as lágrimas escorriam pelo meu rosto. Dessa vez, de alegria por me sentir livre." Liberdade era justamente o que lhe faltaria em breve. Três semanas depois, o líder comunitário foi preso acusado de vender a Nem um fuzil AK-47.

Desde o início, era uma história estranha. Após a ocupação da Rocinha, policiais civis faziam uma operação na comunidade à procura de motos roubadas. Um deles recebeu o DVD de uma mulher não identificada. No vídeo gravado havia mais de um ano, em 3 de outubro de 2010, o fuzil aparecia sobre a mesa onde estavam Nem e seus comparsas. Na frente deles, o líder comunitário demoradamente contava uma soma em dinheiro. As imagens insinuavam o pagamento pela arma. Muito tempo depois, uma testemunha contaria que a gravação fora editada para incriminar. Em depoimento à Justiça, Nem negou a compra do fuzil.

Apesar dos álibis, o líder comunitário passou quase dois anos preso. Na época do vídeo, ele era candidato a deputado estadual. Fazia campanha quase exclusivamente na Rocinha. Conquistou 12% dos votos válidos na zona eleitoral que inclui a favela, mas não se elegeu. O encontro com Nem aconteceu de madrugada, faltando poucas horas para começar a votação. O chefe do tráfico apareceu com um pequeno exército de cinquenta homens armados. Durante a conversa, ofereceu 10 mil em notas de dez e de vinte reais para ajudar na campanha eleitoral. O candidato embolsou a grana. Ele, de fato, não recebeu pela venda da arma, mas teve caixa 2 bancado pelo tráfico.

Os seus advogados pediram à Justiça que o secretário de Segurança fosse uma das testemunhas de defesa. Achavam que os *e-mails* enviados ao governador Cabral, com cópia para o secretário, provavam a oposição do líder comunitário ao tráfico de drogas. Nesse raciocínio, os traficantes gravaram o vídeo para complicar a vida de um desafeto. Durante o depoimento do secretário, Nem estava na sala de audiência, sentado três metros atrás. Manteve-se de cabeça baixa. Antes de ser preso, expressara numa entrevista à imprensa suposta simpatia por aquele homem, a quem achava inteligente. O secretário falou por dez minutos de forma evasiva, mas no final desmontou a estratégia da defesa: "As associações de moradores de favelas, que estão sob o domínio do tráfico, em tese, apresentam um pacto com isso, porque eles não teriam como agir, sem estar alinhados com a tirania daquele local".

Nas eleições de 2010, o líder comunitário reclamava que não podia subir o morro porque a facção de Nem proibira a sua campanha. Livre da prisão, ele se candidatou novamente a deputado estadual em 2014. "Hoje, graças a Deus, eu posso ir a todas as casas e não tenho apoio do tráfico", dizia ele. Quatro anos antes, também negava o vínculo com os "donos" do morro, mas acabou flagrado com um fuzil na mão. "A filmagem foi uma armação. Pediram para eu segurar a arma", rebate ele. Mas ainda assim recebeu dinheiro. O líder comunitário enruga a testa: "Todos os dias, eu me pergunto o que teria acontecido, se eu me levantasse, virasse as costas para os traficantes e fosse embora. Será que hoje eu seria um herói ou estaria morto?".

* * *

O governo do Estado instalou a Unidade de Polícia Pacificadora (UPP) na Rocinha em 2012. Fazia parte de um grande projeto iniciado em 2008: a PM ocupava favelas para expulsar traficantes e criar uma base militar no morro. Não em quartéis de verdade, mas em contêineres de lata. Uma vez estabelecidos, os policiais patrulham becos sempre com os fuzis à mão. É uma pacificação armada, se é que isso existe. As primeiras unidades surgiram em comunidades menos violentas. Deram certo, até chegarem ao Complexo do Alemão, à Vila Cruzeiro e à Rocinha.

Na ausência do chefe do tráfico, o comandante da UPP virava o novo "xerife" do morro. Até o baile *funk* só ocorria com autorização dele. O major que assumiu o comando na Rocinha parecia o mais preparado para o cargo. Ele ficou em primeiro lugar no curso de formação de oficiais e na turma do Bope, a tropa de elite da PM. Com aura de incorruptíveis, preparados para o confronto com traficantes, os homens do Bope recebem um número que marca a entrada deles na corporação, após duro treinamento no qual poucos avançam. O "Caveira 01" foi o primeiro colocado na turma inaugural, em 1978. Já havia mais de 130 em atividade, quando o major se tornou um deles.

A UPP da Rocinha diminuiu o poder dos líderes comunitários ligados a políticos e, mesmo que indiretamente, ao tráfico de drogas. Nas eleições municipais de 2012, o major combateu a compra de votos na comunidade. Em campanhas anteriores, a favela se transformava em curral eleitoral. Os bandidos barravam a entrada de candidatos não simpáticos a eles. O major costumava dizer que, se fosse corrupto, ficaria milionário da noite para o dia no comando da unidade. Além de aceitar mimos de políticos, montaria barreiras na entrada da Rocinha para controlar o acesso ao morro. Ganharia propina da prestação de serviços, como o de mototáxi[26]. Mas deixava claro que isso não aconteceria. Era honesto.

Na noite de 14 de julho de 2013, o major pôs tudo a perder: a sua carreira e a reputação da UPP. O Ministério Público acusou o comandante de ordenar a tortura do pedreiro Amarildo, morador da Rocinha, com choques elétricos de pistola taser, asfixia com saco plástico na cabeça e afogamento em um balde de água. Inconformado com o fracasso de uma investigação contra o tráfico, batizada de Operação Paz Armada, o major queria arrancar do pedreiro informações que levassem à apreensão de drogas e armas. Uma informante da UPP dissera que ele sabia onde ficava o "paiol dos traficantes".

Ao menos cinco policiais do setor administrativo foram obrigados a ficar dentro dos contêineres. De lá, ouviam os gritos de Amarildo nos fundos, às margens da encosta do morro: "Não, não, isso não; me mata, mas não faz isso comigo". Uma policial contou à Justiça que "chegou a escutar risadas de homens". Logo depois, um deles entrou no contêiner para buscar uma "capa de moto", grande o suficiente para embrulhar um corpo. Instantes depois, ouviu-se "uma contagem [um, dois, três], como se todos fossem levantar um peso"[27]. Amarildo desapareceu.

Manifestantes saíram às ruas aos gritos de "cadê o Amarildo?". A pergunta ecoou com força na onda de protestos que tomaram as ruas do Brasil em 2013. As autoridades tiveram que se mexer. No final daquele ano, a Justiça decretou a prisão do major e de outros vinte e quatro policiais. Começou uma longa batalha nos tribunais até que, em fevereiro de 2016, o major foi condenado a treze anos e sete meses de reclusão, mas continuava a receber salário de 12,8 mil reais da PM. A expulsão de um oficial depende de um longo caminho burocrático. É preciso aval do Comando da PM, em seguida do secretário de Segurança e, finalmente, do Tribunal de Justiça.

Mais conhecido como "Boi", por carregar malas e caixas para moradores morro acima, em troca de gorjeta, e também suportar ao mesmo tempo dois sacos de cimento nas costas, Amarildo morava praticamente dentro de um buraco, no interior da Rocinha, com a mulher e os seis filhos. Um labirinto de becos leva à sua casa, um cômodo do tamanho de um banheiro de casas remediadas. Nos fundos, fica uma cratera onde jorra o esgoto que vem da parte mais alta. Ratos correm de um lado para o outro. Numa portinhola, funciona o bar onde Amarildo estava quando foi levado pelos policiais militares até a sede da UPP na parte alta. Nessa miséria, o pedreiro e sua família sobreviviam. Não apenas eles. Invisíveis às autoridades públicas, milhares de Amarildos enfrentam o mesmo drama, sem qualquer perspectiva de emergir.

CAPÍTULO 9.
A GUERRILHA CONTRA AS UNIDADES DE POLÍCIA PACIFICADORA NOS MORROS CARIOCAS

A Secretaria de Segurança funciona no prédio em cima da Estação Central do Brasil, o pulmão do transporte público no Rio de Janeiro. Pelas plataformas de embarque de ônibus, metrô e trens, passam diariamente 600 mil pessoas, que enfrentam não só o aperto da lotação, mas também o assédio de ladrões de carteira, cordão de ouro e celular. As ruas laterais são a confluência de todo tipo de miséria: maltrapilhos errantes, viciados em drogas, mendigos famintos, crianças ocupadas em pequenos furtos. Taxistas dificilmente aceitam pegar um passageiro ali, mesmo que o sujeito esteja bem-vestido. Em janeiro de 2007, o novo secretário de Segurança começou a dar expediente no quarto andar do prédio da Central do Brasil, sitiada pela violência e pelas vítimas dela.

Nos primeiros dias de trabalho, concentrado nos papéis em sua mesa, o secretário escutou tiros na favela próxima à estação. Levantou a cabeça para depois, ainda incrédulo, se dar conta da situação: "Eu sentado aqui, em minha mesa, ouvia disparos de fuzil. Aquilo me indignava. Imagino os caras sentados nessa cadeira antes de mim, ouvindo um [calibre] 762 — pá, pá, pá— no morro do Pinto, a 400 metros de distância daqui"[28].

O secretário era como um técnico de futebol trazido de fora para corrigir os vícios do time local. Gaúcho de sotaque resistente, ele não tinha compromissos ou laços com as polícias estaduais, mais permeáveis à corrupção. Fizera carreira na Polícia Federal, desde as fronteiras brasileiras até chegar ao Rio. O seu jeito lembra menos o de um delegado, mais o de um professor, perfil reforçado pelos óculos finos, a voz de meia altura para baixo e um sorriso contido nos lábios finos. O secretário ficou uma década no comando da pasta. Bateu recorde. Os antecessores naufragaram agarrados à boia que cada governador lançava para a segurança pública; um naufrágio iniciado nos tempos em que generais mandavam no Brasil.

Último deles, o presidente João Baptista Figueiredo nasceu no Rio de Janeiro. A violência já galopava na sua terra natal, mas ele e a maioria dos governantes priorizavam a política. A sua agenda da época indica isso. Em 9 de setembro de 1982, numa quinta-feira, Figueiredo inaugurou a Vila do João no complexo de favelas da Maré, às margens da baía de Guanabara, no seu lado feio, fora dos cartões-postais. No ocaso da ditadura militar, a vila recebeu o nome numa clara homenagem ao presidente. Entrou para o folclore a versão de que Figueiredo odiava multidões, preferindo o cheiro de estábulos. Seja como for, naquele ano eleitoral, o general enfrentou de peito aberto 8 mil pessoas a quem entregou o título de propriedade de 1.534 lotes. Os moradores finalmente deixariam as palafitas no mangue. Ganhariam casas, mas continuariam privados de serviços públicos. Por isso, o condomínio logo virou favela. Na ausência do Estado, traficantes de drogas dominariam a Vila do João. A mesma fórmula se repetiria em centenas de comunidades cariocas.

Em 1982, quando ocorreu a entrega das casas, a oposição ameaçava enfraquecer, no voto, o poder dos generais. Figueiredo discursou para multidão e, sem a menor cerimônia, pediu apoio a seu candidato a governador do Rio: "Aqueles que ainda tiverem confiança na minha palavra, me deem Moreira Franco para o governo. E aí terei certeza de que poderei ser um pouco mais carioca do que tenho sido, porque vou ter ao meu lado a competência, a lealdade e o espírito democrático de que tanto necessito"[29].

As urnas disseram não a Figueiredo. Feroz adversário dos generais, o gaúcho Leonel Brizola ganhou as eleições de 1982. Morto em 2004, Brizola não chegaria a ver um conterrâneo assumir a Segurança Pública, que, desde a década de 1980, já era o calcanhar de aquiles do governo estadual. Enquanto a economia se aprumava na indústria de petróleo, a violência sequestrava o ganho na qualidade de vida. Brizola mergulhou de cabeça na missão de impedir abusos de policiais militares, sempre associados à ditadura militar pelos políticos de esquerda. O governador pôs fim às ações chamadas de "pé na porta", em que a PM arrombava as casas de moradores, sem ordem judicial, para prender quem julgasse suspeito. Com a PM acanhada, muitas vezes de propósito, os criminosos estenderam seus domínios nos morros.

Quatro anos depois, em 1986, sem Figueiredo na Presidência da República, Moreira Franco conquistou o governo prometendo acabar com a violência em apenas seis meses. A PM retomou as operações de enfrentamento com bandidos nas favelas. Tantas vezes, agia sem diferenciar as pessoas honestas, que chegavam exaustas ao morro após um longo dia de trabalho. Enquanto a polícia dava pontapés na porta das casas, os traficantes ganhavam a simpatia de oprimidos. O tráfico já se organizara em facções com grande poder de fogo. Resistia à polícia. No final, fracassara a mágica de conter a criminalidade num estalar de dedos. O pior foi o efeito colateral: mesmo para moradores sem ligação com o tráfico, a PM virou inimiga nos morros cariocas.

Sai Moreira Franco. Volta Brizola para o segundo mandato. Mais uma vez, o político gaúcho tentou conter a violência policial, porém agora precisava se equilibrar na corda esticada por oficiais da PM descontentes. O governo se espatifou no chão no terceiro ano, em

1993, quando houve uma vergonhosa sequência de carnificinas. Primeiro, em julho, ocorreu a chacina da Candelária, no centro da cidade. Justiceiros com distintivos da polícia mataram oito crianças e adolescentes, moradores de rua suspeitos de pequenos furtos. As vítimas dormiam em frente à igreja da Candelária. Em agosto, veio a chacina de Vigário Geral, favela do subúrbio da zona norte. Policiais foram acusados de assassinar vinte e um inocentes para vingar a morte de quatro colegas.

Esqueletos da ditadura militar saíram do armário dois anos depois, em 1995. Figueiredo era quase octogenário, vivendo no Rio de Janeiro, quando o comando do Estado passou às mãos de Marcello Alencar. No final da vida, o ex-presidente da República via o poder chegar às mãos de um antigo advogado de presos políticos que tivera o mandato de senador cassado pelos generais. Pois, de forma surpreendente, o governador buscou seu novo secretário de Segurança entre os antigos expoentes da ditadura militar. A nomeação de um general criou mais polêmicas que soluções sem levar paz aos morros cariocas, muito pelo contrário, ressuscitou as recompensas por atos de bravura, apelidadas de "gratificação faroeste". Para entidades de direitos humanos, nesse sistema, o policial que matasse mais suspeitos ganharia um salário melhor[30].

A Era Brizola produziu herdeiros políticos. O então brizolista Anthony Garotinho elegeu-se governador para o período de 1999 até o começo de 2002, quando se afastou para disputar, sem sucesso, a Presidência da República. A mulher dele, Rosinha Matheus, sucedeu-o no governo do Estado de 2003 a 2006. Derrotado nas eleições para presidente, Garotinho assumiu a Secretaria de Segurança na administração da mulher. Durante a gestão do casal, denúncias de corrupção fragilizaram bastante a Polícia Civil, instituição responsável pela investigação de crimes, principalmente homicídios. Tempos depois, em 2010, a Justiça Federal chegou a condenar Garotinho por formação de quadrilha, acusando-o de lotear cargos nas delegacias de acordo com interesses políticos, algo que ele sempre negou.

O governador Sérgio Cabral era aliado de Garotinho, mas se tornaram inimigos políticos. A rusga ganhou feição de ódio quando Cabral escolheu para a Secretaria de Segurança o delegado federal que atuara na operação sobre corrupção nas polícias estaduais, que mais tarde resultaria na condenação de Garotinho. Contando assim, a esfera do poder no Rio de Janeiro parece uma bolinha de gude.

Cabral acabou preso em novembro de 2016, acusado de chefiar uma organização criminosa com empreiteiras, que desviou ao menos R$ 224 milhões dos cofres públicos. Segundo os procuradores da República, o esquema começou assim que o governador tomou posse. Mal esquentara a cadeira, mandou chamar donos de construtoras para acertar 5% de propina em troca de obras. Até o início de 2018, Cabral havia sido condenado em cinco processos a 100 anos de prisão, e ainda respondia a outras 16 ações penais, que podem levá-lo a patamar próximo de Fernandinho Beira-Mar, que acumula 300 anos de cárcere.

O secretário de Segurança de Cabral começou pela tática de enfrentamento. Em junho de 2007, uma operação da polícia no Complexo do Alemão deixou dezenove mortos e várias suspeitas de execução. Um ano depois, mudou a estratégia. Deu início à instalação de UPPs (Unidades de Polícia Pacificadora) nos morros cariocas, expulsando os traficantes. Apesar da boa intenção, o projeto lembrava muito a inauguração da Vila do João pelo presidente Figueiredo, vinte e cinco anos antes. Naquela época, os moradores ganharam casas, mas continuaram sem serviços públicos. Agora inúmeras favelas recebiam uma base da PM, porém o poder público se mantinha distante. Apenas com as UPPs, mas sem saneamento básico, assistência social e melhoria da vida, o morro logo estaria de novo à mercê do narcotráfico. Enquanto isso, Cabral enriquecia com desvio de dinheiro e ao custo de vidas no *front* de batalha.

* * *

Na noite de 23 de julho de 2012, a policial militar F., de trinta anos, deixou o contêiner da UPP para lanchar no barzinho do outro lado da rua, na favela Nova Brasília, a comunidade do Complexo do Alemão mais conflagrada pelo tráfico. Fazia três meses que a base militar fora instalada, após o Exército deixar o morro. Os traficantes ensaiavam um retorno com a saída dos soldados. F. escutou os primeiros tiros ainda distantes. Vieram as rajadas mais próximas. Ela pediu apoio no radiotransmissor, correu da lanchonete em direção ao contêiner e, no caminho, deparou com um grupo de bandidos. O tiro de fuzil a atingiu um pouco acima da barriga, furou o colete à prova de balas e saiu pelas costas. Não se sabe no caso de F., mas parte dos policiais trabalha com coletes de validade vencida, que seguram tiro de pistola, mas não de fuzil.

Os dois soldados que receberam o chamado de F. no rádio saíram em seu socorro. Avistaram a colega no chão e os criminosos em volta. Houve um intenso tiroteio, até que finalmente os bandidos recuaram. Colocada numa viatura que partiu em alta velocidade, F. chegou sem vida ao hospital. Ela tinha poucos meses de PM. Entrara na corporação seguindo os passos da irmã, quatro anos mais velha[31]. Não tinha filhos nem era casada. Foi a primeira vítima a morrer entre os policiais de UPPs e também a primeira policial feminina assassinada em serviço no Rio de Janeiro.

A Presidência da República divulgou uma nota: "F. abraçou a causa e nos deixou a certeza de que outros braços a sucederão, com o mesmo empenho, para consolidar cada vez mais o sucesso das UPPs. A Paz vencerá, não há retorno"[32]. Não sabiam que era apenas o início da série de assassinatos. Em apenas quatro anos, de 2012 a 2015, nas áreas pacificadas, vinte e sete policiais de UPPs perderam a vida em confrontos com traficantes de drogas[33].

F. morreu duas semanas após o Exército sair do Complexo do Alemão e da Vila Cruzeiro, ocupados pelos soldados a partir de novembro de 2010. Sem as Forças Armadas na favela, os chefes do Comando Vermelho ficaram mais confiantes em agir. Queriam retomar o território atropelando as UPPs no caminho. Na noite em que mataram F., os bandidos fizeram ataques simultâneos em diferentes pontos das favelas. Metralharam carros de polícia, o prédio sede da UPP e contêineres das bases. A tática de guerrilha continuaria nos meses seguintes. O medo apareceu na fisionomia dos policiais. Acuados em becos, de pistola em punho, eles patrulhavam a favela à espera de uma emboscada.

O projeto das UPPs tinha os pés no chão. Nunca priorizou o combate à venda de drogas. Visava a desarmar os bandidos para a polícia circular em morros onde não entrava havia décadas. O arsenal é grande: as forças de segurança chegaram a apreender um fuzil por dia, em média. "Nossa função é garantir a liberdade de ir e vir das pessoas. Mostrar rápido que é melhor estar do lado do Estado", dizia a Secretaria de Segurança. Naquele momento, em dezembro de 2012, havia uma UPP na favela próxima ao prédio da Central do Brasil, mas o secretário não estava livre de ouvir tiros. Nem havia muito a comemorar. F. morrera fazia cinco meses. "Sobre a questão das drogas, temos que ter a consciência de que não há condições de acabar com o tráfico. Isso é uma utopia. Onde tem vício e renda, vai ter droga", comentou o secretário, pensativo.

As UPPs falhavam até em garantir a segurança dos policiais, que começavam a ficar isolados nos morros. A Secretaria identificara o problema: "O projeto da UPP pode naufragar à medida que o Estado, a União e a sociedade não fizerem a parte deles. Não vai ser um policial com fuzil na escadaria da favela que garantirá a segurança". O secretário achava que os serviços públicos, como saneamento e assistência social, não subiram os morros junto com os policiais. Ficava difícil convencer os moradores de que a chamada pacificação de favelas mudaria a vida deles.

Os policiais logo notaram um sentimento de rejeição a eles. Pesquisadores da Universidade Candido Mendes entrevistaram 2.002 policiais de UPPs, entre 30 de julho e 19 de novembro de 2014. A amostra representava 21% dos que trabalhavam em trinta e seis unidades instaladas em comunidades. A maioria achava que os moradores sentiam "ódio, desconfiança e medo" deles e manifestavam a hostilidade "com xingamentos, cusparadas e arremessos de objetos". Até mesmo um vaso sanitário foi atirado certa vez contra uma patrulha. Outra parte considerável de policiais se mostrava insegura e insatisfeita durante o trabalho de policiamento nos morros[34].

A maioria trabalha em contêineres de latão, alvo fácil de tiros. Na Cidade de Deus, fora os contêineres, a UPP tem um prédio de dois andares na rua mais tranquila e movimentada da favela. É um porto seguro para onde os soldados se dirigem após um turno de patrulhamento. Chegam exaustos, sabem que escaparam de algum tiroteio e da morte. Os que conseguem lugar para sentar apoiam os fuzis no chão, dormem um pouco. Na parede da recepção, estão as fotos de três soldados mortos em serviço na UPP no confronto com o tráfico. Ainda faltavam retratos de outros dois, assassinados em março e outubro de 2016.

Não raras vezes, os moradores têm motivos para odiar os policiais militares. Na favela de Nova Brasília, a mesma onde assassinaram F., o mototaxista C., de vinte anos, morreu baleado no peito, em maio de 2014. Naquela noite, moradores protestavam contra a prisão de um suspeito de vender drogas. No tumulto, um soldado inexperiente, com apenas quarenta dias na PM, deu o tiro de pistola que matou C. O policial disse na delegacia que a arma disparou por acidente. Ficara nervoso com dois homens supostamente armados no alto de um sobrado. A mãe de C. achou que a pacificação mudaria o Alemão. Até transferiu para o morro a loja, que mantinha no centro do Rio, de intermediação de empréstimos bancários. Logo começaram os tiroteios. Sua loja virou abrigo para pessoas que passavam na rua.

Decepcionada, ela resume a desconfiança contra as UPPs numa frase dura: "Do que adianta tirar os bandidos daqui e, no lugar deles, colocar bandidos de farda?".

Outra tragédia ocorreu por volta das 17h30 de 2 de abril de 2015. Oito policiais do Batalhão de Choque procuravam traficantes numa área do Alemão chamada de Ping-Pong, cheia de escadarias morro acima. Por conhecer a região, dois policiais da UPP iam à frente dos homens do Choque, que avançavam um atrás do outro pelos becos. Quando descia uma escada, numa curva, o policial da UPP que caminhava na ponta se jogou para trás, como se atingido por um tiro. Ele disparou duas vezes o fuzil. O segundo na fila achou que o colega fora alvejado, também atirou e puxou pelo colete o companheiro caído. Então, começaram os gritos de uma mulher: "Meu filho, meu filho". Outra mais jovem berrava: "Morreu meu irmão". E., de dez anos, foi atingido na cabeça por uma bala de fuzil disparada por um dos policiais da UPP. A criança estava sentada na porta de casa.

Cinco meses depois, a Polícia Civil concluiu que houve confronto entre os policiais e traficantes de drogas. O menino acabou "na linha de fogo", "atingido por erro", descreveu o delegado. Ele disse que não era possível saber qual dos dois policiais da UPP matou o menino. Ninguém foi indiciado pelo crime. O Ministério Público não concordou com a polícia. Denunciou à Justiça por homicídio o policial que vinha mais à frente e atirou primeiro. Para o Ministério Público, há dúvidas se realmente houve confronto. Líder da ação, o tenente do Batalhão de Choque vinha três metros atrás. Ele disse que não viu nenhum bandido nem identificou ameaça ao grupo da PM: "Cheguei a ver [apenas] o menino sentado, quando descia a escada, antes de fatiarmos o beco". Os dois policiais da UPP também "diziam ter visto um garoto sentado com uma pistola", afirmou o tenente. A família de E. não tem dúvidas de que os soldados confundiram o celular na mão da criança com uma arma. A Justiça aceitou a denúncia, mas o Tribunal mandou trancar a ação em 2016.[35]

* * *

Após sair do Complexo do Alemão, as Forças Armadas ocuparam outro conjunto de favelas da zona norte, onde o então presidente Figueiredo inaugurara a Vila do João em 1982. O Complexo da Maré é mais populoso que a maioria das cidades brasileiras. Abriga 130 mil habitantes em dezesseis comunidades. Fica entre a avenida Brasil e a Linha Vermelha, as duas principais artérias do trânsito carioca, que ligam o centro da cidade ao aeroporto internacional do Galeão. Se os bandidos das três facções que lá atuam se unissem, eles tomariam o controle das avenidas. Até que chegasse reforço, o policiamento existente no local pouco faria. Às margens da Linha Vermelha, há um batalhão da PM cujos fundos dão para o complexo. Os policiais da unidade nunca assustaram os criminosos. Muito pelo contrário. Soldados que descem do ônibus na avenida Brasil não se sentem seguros para atravessar a favela, chegando ao quartel pelos fundos. Preferem aguardar o transporte oficial para dar uma volta considerável por fora das comunidades.

Diferentemente da maioria das favelas cariocas, a Maré é plana, no nível do asfalto. Os labirintos de ruas amanhecem tomados por vans, kombis, motos (sempre buzinando) e carros, muitos mal estacionados nos dois lados das pistas estreitas. Na falta de calçada, pedestres caminham ao lado dos veículos. Essa confusão de gente tem quase sempre a trilha sonora do *funk*, no último volume de preferência. Uma brisa mais forte traz o cheiro de maconha. O tráfico se mostra com os homens armados de pistola nas bocas de fumo. Outros circulam de motocicleta com radiotransmissor na cintura para avisar os "soldados do tráfico", que andam de fuzil, sobre a presença de forasteiros ou da polícia.

Em abril de 2014, as Forças Armadas acrescentaram blindados, jipes e caminhões ao confuso trânsito da Maré. Os 2.500 soldados desbravariam a favela para a instalação de mais uma UPP, que acabaria não ocorrendo. Um ano depois, o Exército e a Marinha contabilizaram cinquenta homens feridos em suas fileiras. Mataram seis suspeitos chamados, na linguagem da caserna, de "agentes perturbadores da ordem pública". As forças sofreram uma baixa. O cabo M., de vinte e um anos, morreu baleado na cabeça. Apesar da pouca idade, M. adquirira alguma experiência na operação humanitária no Haiti, país destruído por um forte terremoto e atormentado pelo confronto de guerrilhas. No começo de uma tarde de novembro, ele se viu no meio de um tiroteio de traficantes da Maré. Os colegas o levaram para Unidade de Pronto Atendimento (UPA) da Vila do João, uma das comunidades do complexo. Os médicos dali fizeram o que estava ao alcance. Como se fosse um hospital de guerra, a UPA e seus profissionais tinham suas próprias feridas na batalha de trabalhar lá.

© Huisson Corrêa

VILA DO JOÃO

22º BPM

CAPÍTULO 10.
SEQUESTROS DE MÉDICOS E PROFESSORA NO COMPLEXO DA MARÉ, ONDE POLICIAIS TEMEM SAIR ÀS RUAS

Troncudo, baixinho e de cabeça grande, Gil havia passado pelo aparelho de raio X e sido transferido para a sala vermelha, onde ficam os pacientes em estado grave na UPA da Vila do João. Como de rotina, o trânsito no Rio estava lento, e, em consequência do engarrafamento de carros, um dos médicos chegou atrasado ao plantão daquela manhã, uma quinta-feira de setembro de 2011. Ele logo percebeu que havia um paciente incomum à sua espera. A colega plantonista carregava no semblante uma expressão de pânico e quase não continha o choro, enquanto tentava cuidar do ferido. Não era para menos. Ao seu redor, um grupo de homens armados com fuzis vigiava todos os procedimentos.

A lesão parecia grave. O baixinho deitado na maca levara certamente um tiro nas costas de uma arma menos letal do que o fuzil, senão já estaria morto, a menos que a bala o tivesse pegado de raspão. O ferido recebia soro e um medicamento que o mantinha sedado. Seu estado dava a impressão de que havia sido alvejado no dia anterior. Podia ser isso porque, desde o dia anterior, o Bope, a tropa de elite da Polícia Militar, trocava tiros com traficantes no morro do Dendê, na Ilha do Governador, a quinze quilômetros de distância da UPA.

O baleado logo seria reconhecido como um poderoso e violento gerente do tráfico que, dentro do morro, contava com um pequeno exército de cem asseclas. Alguns funcionários da unidade conheciam sua fama de perverso. O bandido foi levado para a unidade da Vila do João porque, assim como a comunidade da Ilha do Governador, a favela estava sob o controle da facção criminosa Terceiro Comando Puro.

Quando tinham algum ferido, os traficantes entravam pelo portão dos fundos da UPA, onde ficava a garagem das ambulâncias, e mandavam o guarda abrir o cadeado. O segurança não oferecia resistência, e nem poderia. As unidades de atendimento médico foram criadas pelo governo do Estado e espalhadas em bairros para atender moradores locais, evitando assim a busca pelos grandes hospitais. Se precisassem, os criminosos não hesitariam em procurar as UPAs. A informação corria nas bocas de fumo, e os chefes do tráfico sabiam até qual especialista seria mais útil num caso de emergência. Eles descobriam quem era o cirurgião que poderia operar. Além disso, algum profissional que devesse um favor seria convocado a pagar a dívida com atendimento médico.

Um desses prováveis devedores chegou à UPA de repente, parecendo atender ao chamado de última hora dos traficantes, pois não vestia sequer as tradicionais roupas brancas. Cheio de arrogância, o recém-chegado queria saber quem era o responsável pela unidade, como estava Gil e quais medicamentos o paciente recebera. Enfim, tudo lhe interessava. Demonstrava descontrole e tinha a sua razão. "Se vocês soubessem a história de como eu vim parar aqui. Sou ortopedista. Estou aqui por causa de um rolo... Eu não vou nem contar para vocês", disse ele a funcionários da UPA, que se entreolhavam, espantados.

Os demais médicos da unidade, estranhando o visitante, reclamaram com o traficante que estava no comando. Aquele suposto colega de medicina, que chegara muito agitado, atrapalhava em vez de ajudar. "O patrão", o chefe dos bandidos, seria Marcelo, de trinta anos, que fugiu do presídio em 2007 e é conhecido pelo apelido de Menor P. Ele resolveu dispensar o nervoso ortopedista.

A todo tempo, Menor P. fazia cara de quem lamentava a situação. Traficante quer sempre posar de bom-moço para os moradores. E, naquele momento, dezenas de pacientes prejudicados aguardavam atendimento do lado de fora do posto da Vila do João, enquanto o criminoso recebia toda a atenção médica. Os bandidos também escondiam as pistolas embaixo da camisa. Com o gesto, tentavam não intimidar, como se isso fosse possível.

"Bom, eles têm a tal ética ainda. E nós temos a nossa. Nesse momento, o mais importante é a vida da pessoa, independente de quem seja", avaliou um dos médicos[36] que logo colocou a questão às claras para Menor P. O paciente precisava ser levado a um hospital para fazer exames e ser operado. Logo veio a má notícia de que não havia ambulância alguma disponível para a transferência de Gil, cujo estado começava a piorar. Menor P. se mantinha calmo com uma carta na manga. Ele disse cheio de mistério que alguém viria ajudar.

Não demorou muito e apareceu um político que, a princípio, não tinha razões para estar ali. Sua base eleitoral ficava na cidade vizinha a sessenta quilômetros do Rio, e seu ramo de negócio, o comércio de equipamentos hospitalares, estava baseado na Baixa Fluminense (a trinta quilômetros). Parecia um completo estranho, mas havia nascido, crescido no Complexo da Maré e era deputado. De barba rala, vestindo calça e camisa social, o político parecia à vontade e foi direto à sala vermelha. Prometeu solução, mas queria permanecer no anonimato. A equipe médica e os bandidos tiveram que desligar os celulares. Assim, ninguém poderia tirar uma foto ou filmar o parlamentar que já evitara as câmeras de segurança da UPA entrando pelos fundos. A missão dele parecia ser a de arrumar um hospital para onde o criminoso ferido pudesse ser levado e fazer isso sem despertar a atenção da polícia.

O grupo decidiu usar a ambulância que a rigor não poderia sair da unidade, porque estava com problemas no freio. Um dos bandidos subiu na van junto com um médico, três enfermeiros, o baleado e o motorista. A equipe começou a seguir um Meriva com um suposto funcionário do deputado ao volante, mas ele parecia perdido nas ruas da Vila do João. Saíram da favela e foram estacionar próximo a um Batalhão da PM na avenida Brasil. "A gente está ferrado", disse o motorista.

Com toda a razão, ele temia que a equipe médica ficasse na linha de tiro, se policiais militares descobrissem o chefe do tráfico ferido dentro da ambulância. Os traficantes deveriam estar nas imediações e reagiriam, sem dúvida, a uma abordagem da PM. O bandido que estava na van começou a ouvir apelos de que, "pelo amor de Deus", era preciso regressar à UPA. Ele fez algumas ligações para "o patrão", que finalmente concordou. Antes tivesse negado. Quando voltou à unidade, o grupo deparou com seis carros com vários homens armados de fuzis e pistolas. Havia um novo plano.

Desta vez, a ambulância saiu escoltada por quatro veículos. Em um deles estaria o deputado, mas era impossível saber ao certo em qual. O comboio percorreu vinte quilômetros, atravessando a ponte sobre a baía de Guanabara, até um hospital particular da cidade vizinha de Niterói. O político entrou no prédio, mas logo voltaria de mãos abanando. O médico que ele dizia conhecer estaria de plantão em outra unidade. A nova opção era buscar atendimento em São Gonçalo. O grupo seguiu até esse município, mas fracassou novamente.

A terceira alternativa seria percorrer mais quarenta quilômetros até Maricá. Desta vez, o motorista se recusou porque a ambulância estava com problemas no freio, e a falha mecânica se agravava. Não dava mais.

O fato de sorte é que Gil, recebendo medicamento dentro da ambulância, dava sinais de uma surpreendente melhora. Ele ainda seria levado para outra unidade pública onde passaria por uma tomografia, antes de voltar à Vila do João e se hospedar numa casa da comunidade. Enfermeiros da UPA ainda seriam obrigados a visitá-lo nos dias seguintes. Um dos membros da equipe contaria depois: "Naquele dia, achei que a gente fosse morrer. Fiquei anestesiado".

* * *

O deputado mora em um luxuoso condomínio com portaria um pouco afastada da rodovia federal que corta a região, tornando o lugar bastante discreto, tranquilo e sonorizado pelos pássaros. Nos fundos das casas, há um conjunto de lagoas. E, pilotando um *jet ski*, o deputado pode chegar tranquilamente ao mar. Nas últimas semanas de 2012, porém, ele teve pouco tempo para o lazer porque disputou, e perdeu, as eleições para prefeito de uma cidade vizinha ao município do Rio de Janeiro.

Mesmo distante do Complexo da Maré, o político procura manter laços com a comunidade onde nasceu. Ele criou um posto de atendimento médico para dar assistência a moradores carentes. Costuma dizer que cresceu na favela, numa época em que os traficantes eram apenas alguns viciados, fumando maconha nas ruas. Aos quarenta e sete anos, entende que os tempos são outros e que a transformação fica visível nas armas pesadas dos bandidos, no movimento de toneladas de drogas. "Onde o Estado não entra, a ilegalidade impera. Acho que ninguém no Brasil pode negar que existe uma força paralela. Também não há mais aquele romantismo de que o controlador do território pensa no (bem-estar) da comunidade. Hoje é tudo negócio."

O deputado não comenta o sequestro da equipe médica, que ocorrera na UPA da Vila do João, nem deixa claro qual foi sua participação no episódio. "Prefiro me reservar porque pode comprometer pessoas. Não vou esconder, não vou mentir. O fato ocorreu. Era o que tinha de se fazer. Tinha que ajudar uma pessoa. E a pessoa foi ajudada." Ele não confirma, mas também não nega, que o paciente socorrido era o traficante Gil. "Não posso falar. Ali na UPA tem bombeiros, funcionários públicos. Tenho um carinho muito grande pela corporação. Naquele dia, estive lá conversando com aqueles bombeiros. É um assunto delicado. Não fui chamado por ninguém. Eu ando por lá. A gente sabe o que acontece lá, mesmo estando aqui."[37]

* * *

O posto policial está sempre fechado na favela onde se localiza a UPA constantemente invadida por bandidos. Estacionado na calçada, o carro da PM indica que há policiais militares dentro do posto, mas eles temem até mesmo sair à calçada. Passam o dia confinados. Uma grossa corrente presa ao cadeado amordaça o portão de grades pontiagudas. Coberto por telhas de amianto e pintado de branco com o rodapé azul, as cores da PM, o prédio retangular fica na rua 14 ao lado da associação de moradores, lugares vizinhos que não se interagem. Para acompanhar o movimento de fora, os policiais recorrem a três janelinhas estreitas que só deixam ver os olhos de quem observa. No pequeno pátio com piso cimentado, há um banco de madeira encostado à parede, tristemente vazio. E acima dele uma placa anuncia: "Vila do João, 22º BPM (Batalhão da Polícia Militar)."[38 e 39]

Não há campainha, e quem se arrisca a bater palmas chama muita atenção. Os "olheiros" do tráfico observam as pessoas na rua. Jovens sem camisa, de braços cruzados e mãos enfiadas nas axilas passam na garupa de motos buzinando, com pistola e radiotransmissor na cintura. Entre goles de cerveja, um grupo de rapazes se acomoda no balcão da lanchonete na esquina, onde vendem drogas a poucos metros do posto policial.

Aos sábados, a rua 14 amanhece bloqueada por uma feira bastante movimentada. Na variedade de bancas, os comerciantes vendem de verduras a produtos eletrônicos e roupas. Os fregueses se acotovelam ao fazer compras num clima amistoso, mas ainda assim, mesmo em dias tranquilos, os policiais continuam reclusos na masmorra.

Doutora em Serviço Social, a professora E. S. passou a infância e a juventude na favela de Nova Holanda, vizinha da Vila do João. Ela chegou à comunidade ainda criança com a família retirante da Paraíba. Desde a adolescência, interessou-se pelo trabalho comunitário, chegou a ser presidente da associação de moradores e, depois, mergulhou em pesquisas acadêmicas sobre a violência no Complexo da Maré. Seu alvo de estudo são os policiais militares que esculacham moradores ao colocá-los na mesma vala dos traficantes. Naturalmente, a professora se deparou com o emblemático caso do posto policial na Vila do João e foi até lá conferir.

— Faço uma pesquisa sobre a polícia e queria conversar com vocês, mas queria entrar no posto — disse E. S.

— Olha, você está conversando comigo aqui no portão, e o tráfico está vendo. Você não tem medo do que vai acontecer depois que sair daqui? — perguntou o homem de farda.

— Não — respondeu E. S., lacônica. Ela sabia que poderia ser abordada por algum traficante e, se isso ocorresse, haveria um agravante. A professora morava em Nova Holanda, controlada pela facção adversária do grupo que mandava na Vila do João. A fronteira entre os dois territórios é um campo de futebol. Se uma bola chutada com força cair no Parque União ou em Nova Holanda, estará na área do Comando Vermelho — de Fernandinho Beira-Mar. Caso o chute a mande para o lado do Parque Maré, Nova Maré, Baixa do Sapateiro e Vila do João, a bola ficará com o Terceiro Comando Puro. Quando se encontram no limite das comunidades, as duas facções criminosas armadas com fuzis trocam tiros.[40]

No ano de 2001, logo que começou o trabalho numa ONG sediada em Nova Holanda, E. S. foi sequestrada por bandidos do Terceiro Comando Puro e levada à favela de Nova Maré, controlada pela facção. O chefe da quadrilha "tomou emprestada" uma casa, e a família proprietária estava refém na sala. Ele subiu para o segundo andar com E. S. e começou a cobrar explicações sobre repasses de dinheiro da Prefeitura do Rio para a ONG. Queria acompanhar os gastos e exigia que sua comunidade também participasse dos projetos. A conversa durou pelo menos três horas, com o traficante sempre armado e ameaçador. A professora não cedeu aos pedidos, apesar da intimidação que lhe mudaria a vida.

"Virei outra pessoa do ponto de vista psicológico. Ele me traumatizou. O mais curioso: o bandido que me sequestrou deixou o tráfico e virou pastor evangélico. No início de 2012, onze anos depois do sequestro, ele me mandou um recado dizendo que queria conversar comigo. Falou que não se sentia livre porque eu não havia dado meu perdão. Mandei dizer que não tenho nada a conversar", conta E. S.

Mesmo abalada com o episódio, ela não desistiu de suas pesquisas no Complexo da Maré. Tocou vários projetos sobre a violência contra moradores de favelas. Na sua segunda tentativa de acesso ao posto da Vila do João, um policial militar expôs seu descabido receio.

— Não entre aqui, não. Vão achar que a senhora vai fazer alguma coisa com a gente aqui, que a gente vai transar — disse o PM e acrescentou: — Vão achar que a senhora é piranha, desculpe falar.

— A minha questão é bem resolvida. Sou séria. Meu marido não vai implicar — explicou E. S.

O argumento não convenceu o PM, que barrou a entrada. E. S. foi embora resignada, mas regressou na semana seguinte. Ela percebeu que a turma de plantão havia mudado. Desta vez, disse que o comando do batalhão autorizara o seu acesso. Tal ordem existia de fato, mas o coronel nunca acreditou que a professora tivesse coragem ir ao posto. "Quando finalmente entrei, vi que um dos policiais fazia almoço. Eles pegam alimentos no comércio em frente. Aquele cheiro de comida era horrível. Outro PM roncava, deitado num beliche. Eu falei: 'Por que vocês ficam assim? Isso aqui é para atender as pessoas. Vocês não recebem ligações?' O número do telefone está gravado com destaque na parede do lado de fora, mas toda vez que toca é alguma mulher", conta E. S. O relacionamento amoroso tornou-se "a válvula de escape", disseram os policiais. A única que eles tinham acuados naquela trincheira na guerra do tráfico.

*   *   *

A favela da Rocinha caiu nas mãos do Comando Vermelho, em setembro de 2017, quase seis anos após a prisão de Nem, chefe da facção Amigos dos Amigos (ADA). Ele ainda controlava o tráfico mesmo trancafiado, desde 2011, nos presídios federais de segurança máxima, ora em Mato Grosso do Sul, ora em Rondônia, a milhares de quilômetros do Rio de Janeiro. O seu gerente seguiu a orientação de corromper policiais. Com o pagamento de suborno de R$ 7.000 por semana, a quadrilha conseguia controlar até as câmeras de vigilância da polícia pacificadora espalhadas pela favela. Numa investigação de 2014, a Polícia Federal interceptou mensagens de celular nas quais soldados da UPP alertavam os bandidos sobre filmagens: "Oh, a câmera do bar da Beth pegou o rosto de vocês com fuzis". "Na rua 2 trocaram a câmera com defeito, estão com uma lente que dá zoom, cuidado." Os policiais também avisavam quando haveria operações em andamento contra o tráfico. Reclamavam que deveriam ganhar mais por essas valiosas informações, antes faturavam R$ 10 mil de propina semanal, mas o gerente de Nem argumentava que a venda de drogas caíra. Além disso, havia despesas extras.

O gerente prestava contas à Patroa, mulher de Nem. As cifras altas mostram por que o controle da Rocinha é assim tão cobiçado pelos bandidos. Numa mensagem de fevereiro de 2014, também interceptada pela PF, a Patroa diz que precisa de R$ 5.000 para pagar a festa de aniversário da filha, R$ 10 mil de honorários para o advogado de Nem e R$ 120 mil de propina a um funcionário não identificado, da vara de execuções penais, não se sabe qual delas. O gerente informa que acabara de comprar um fuzil AK-47 do "mesmo modelo usado por Bin Laden", coisa de R$ 45 mil, mais o frete de R$ 1.000 pela entrega da arma na favela. Gastou R$ 17,5 mil com munição do AK-47. "Para segurar o morro em nossas mãos, só estando fortemente armado", justificou.

Ele temia a invasão de outras facções, em especial o Comando Vermelho. A Secretaria de Segurança descobriu um plano da quadrilha de Fernandinho Beira-Mar para retomar a Rocinha, que ficara sob o seu domínio até a década de 1990, quando a ADA tomou o poder. O CV fizera um caixa de R$ 1,5 milhão para financiar a invasão na favela, o que demandaria compra de armas pesadas, de munição e transporte de homens armados até o morro, sem contar um suborno para policiais não enxergarem a movimentação dos "soldados do tráfico". O planejamento recebia os últimos retoques, quando o próprio Nem abriu caminho para o Comando Vermelho.

Irritado com o preço abusivo do gás de cozinha na favela, prática comum das milícias, Nem mandou o gerente deixar o cargo. O homem não aceitou e, segundo a Polícia Civil, mandou assassinar o indicado para assumir o seu posto. Como se não bastasse, expulsou a Patroa da favela. Nem ficou possesso. Deu ordens para um batalhão de mais de cinquenta homens partirem de morros, controlados por sua facção ADA, para tomar do gerente o território da Rocinha. O intenso tiroteio apavorou os moradores naquele domingo, de 17 de setembro de 2017. Os tiros de fuzil peneiraram as paredes de lojas, casas e muros. Explodiram transformadores de energia. Incendiaram motos e permearam a lataria de carros. Os policiais da pacificação se esconderam na base, enquanto a bala comia. O gerente de Nem fugiu para a floresta do alto do morro. De lá, ele e seus homens ganharam áreas vizinhas. Não demorou muito para procurarem abrigo nas asas do Comando Vermelho. Com apoio armado do outrora inimigo, o bando retornou para se estabelecer na Rocinha. As Forças Armadas ocuparam por alguns dias a comunidade, mas logo encerraram a missão. O gerente de Nem acabaria preso pela polícia em outro morro, algumas semanas depois, mas para o Comando Vermelho pouco importava. A facção de Beira-Mar conquistara a Rocinha.

Desde então, as tropas especiais da PM tentam expulsar o CV da favela com operações quase diárias, que acabam em troca de tiros e deixam os moradores em pânico, muitas vezes sem poder sair de casa. A violência se espalhou pela cidade porque o Comando Vermelho ampliou o seu domínio pelo Rio de Janeiro, ficou muito forte e partiu para o confronto com a polícia. As autoridades sempre acharam melhor que as quadrilhas do tráfico brigassem, numa luta que mina uma à outra. Agora o equilíbrio se rompera. Beira-Mar recebeu feliz a notícia que chegou ao cárcere. A pacificação das favelas cariocas acabara de vez.

COMENTAR   COMPARTILHAR   BUSCAR

BRASIL

Força-tarefa vai combater atuação de milícias nas eleições do Rio

Grupo conta com representantes da Secretaria de Segurança, da Polícia Federal e PRF

Símbolo do Batman, em referência ao miliciano, em comunidade da Zona Oeste -
Agência O Globo / Marcelo Piu

f 𝕏 8+ in

POR **SÉRGIO RAMALHO** / **VERA ARAÚJO**
16/07/2012 7:00 / atualizado 16/07/2012 9:29

RIO - Uma semana depois do início do período eleitoral, milícias e

PARTE 3.

AS NARCOMILÍCIAS

crítica NEWS
Jornalismo corajoso e verdadeiro

CAPA   TODAS NOTÍCIAS   POLÍTICA   POLÍCIA   CIDADE   GERAL ▾   ESPORTE   INT

COMANDO VERMELHO – Membros de facção tentam matar adolescente em unidade de internação

CAPÍTULO 11

O DIA EM QUE O DELEGADO INICIANTE CONFRONTOU O CHEFÃO DA MILÍCIA

Alexandre Capote assumiu a delegacia de combate às milícias em fevereiro de 2011, aos trinta e cinco anos. O delegado da Polícia Civil leu a biografia de Eliot Ness para se inspirar no homem que encarcerou Al Capone, na Chicago de 1930. Certa vez, o policial norte--americano desabafou: "Afinal, se você não gosta de ação e emoção, não vai trabalhar na polícia. E, "caramba", eu percebi que ninguém vive para sempre!". Capote transcreveu a frase em inglês ao lado de uma foto de Ness no quadro que pregou na parede de frente à sua mesa de trabalho. Mais ao fundo da sala, ele pendurou o cartaz emoldurado de *Os Intocáveis*, o filme no qual Kevin Costner interpreta Ness como herói. Escolhida a fonte de inspiração, o delegado sentou-se na cadeira de chefe com a certeza de que não seria fácil.

As milícias que Capote combateria são uma organização criminosa formada por policiais, bombeiros e agentes penitenciários, alguns expulsos de suas corporações, outros ainda em atividade. No começo, os milicianos se travestiam de bem-intencionados agentes da lei, que dominavam bairros e favelas para expulsar traficantes no lugar do governo, sempre omisso. O Estado paralelo das milícias enfrentaria o Estado paralelo do tráfico. Estava declarada guerra ao Comando Vermelho de Fernandinho Beira-Mar, sediado no Complexo de Alemão, e às facções que controlavam a Rocinha e a Vila do João. Mas era tudo enganação de uma quadrilha tão violenta e impiedosa quanto os narcotraficantes.

Os milicianos começaram a extorquir dinheiro dos moradores nos territórios que iam dominando. Obrigaram comerciantes a pagar taxa de proteção; os que não aceitassem ficariam expostos à violência da própria milícia. Toda a atividade econômica da favela passou às mãos dos novos bandidos. Eles assumiram o transporte de vans, o mototáxi, a venda de água mineral, a distribuição de botijões de gás e as ligações clandestinas de internet e TV a cabo, conhecidas como gatonet. Distribuíram ímãs para grudar na porta da geladeira com telefones de contato dos serviços ilegais. Um dos mais requisitados era a segurança motorizada que escolta moradores a caminho de casa na madrugada. Tudo isso, é claro, rendia muito dinheiro. Maior milícia da cidade, a Liga da Justiça obtinha lucro mensal de R$ 2 milhões na zona oeste do Rio[1].

Eliot Ness capturou Al Capone, inspirou filmes e alguns livros, mas a vida real não teve final feliz. Ele morreu em 1957, aos cinquenta e quatro anos, pobre, amargurado e desprestigiado. A reputação ruiu em 1942, após Ness abandonar o local de um acidente de trânsito. A dúvida se estava sóbrio arrasaria o homem que defendera com unhas e dentes a Lei Seca nos Estados Unidos. Bem que os milicianos gostariam que Alexandre Capote caísse em desgraça também; isso se não o matassem antes. A sua morte já estava encomendada.

* * *

Novato na polícia, Capote era plantonista na 30ª Delegacia em Marechal Hermes, bairro do subúrbio às margens da ferrovia, quando recebeu a notícia de um assassinato na manhã de sábado, 21 de janeiro de 2006. Ali se sentia numa espécie de clínica-geral da Polícia Civil dada a diversidade das ocorrências: homicídios, assaltos seguidos de mortes e casos menos graves, como estelionato. Faltava uma hora para acabar o plantão, mas decidiu ir ao local do homicídio. Ele achava que um crime se resolve nas primeiras horas, depois tudo fica mais difícil.

Cleber, de vinte e oito anos, estava caído de bruços com a cabeça ensanguentada próximo ao meio-fio da rua de paralelepípedos. Usava tênis vermelho e roupas apropriadas ao verão carioca: camiseta bege e bermuda branca com listras onduladas pretas. Uma mulher chorando afastava as formigas que avançavam sobre o corpo. Angélica sempre dizia que o filho era uma "criança grande". Aquela situação talvez lhe parecesse a última travessura. Ela perguntou aos policiais se podia retirar Cleber dali, mas os peritos negaram. Precisavam esquadrinhar a cena do homicídio com o corpo presente. Capote logo percebeu que, de fato, estar no local do crime fazia grande diferença: lá se encontrava a única testemunha do assassinato.

Pâmela, de dezoito anos, era a namorada de Cleber. O casal chegava de uma festa na praça Manágua, a dois quilômetros de distância, onde fica uma igreja de São Sebastião, o padroeiro do Rio celebrado naquele dia. Ela desceu do Mercedes-Benz em frente ao portão de casa, enquanto o namorado estacionava o carro na rua silenciosa. Do nada, um Volkswagen bateu no Mercedes, que abriu o *airbag* por causa do impacto. O homem que saiu do Gol deu um tiro de pistola calibre 380 na testa de Cleber. Ele caiu com o rosto no chão. Recebeu mais oito disparos na região da nuca. O assassino voltou para o carro e deu partida calmamente. Pâmela gritava para Cleber se levantar, ignorando o sangue que corria no vão dos paralelepípedos.

Levada para a delegacia, a moça disse que o assassino era um policial militar chamado M., segurança de uma padaria nas imediações do bairro. Pâmela recolhera do chão nove cartuchos de bala, mas perdeu dois ao guardá-los rapidamente debaixo da blusa porque um vizinho, também da PM, lhe dissera em tom ríspido para não se meter em encrencas. O melhor seria lançar os cartuchos em algum bueiro e esquecer tudo aquilo, mas Pâmela não se intimidou. Diante de Capote, descreveu M.: um homem branco, alto, com idade entre trinta e trinta e cinco anos, cabelo cortado baixo, sem barba ou bigode[2].

Se o delegado não a interrogasse de imediato, mais tarde a testemunha certamente perderia a coragem de falar, o que aconteceu de fato. No fim da tarde de terça-feira, três dias após o homicídio, Pâmela reapareceu nervosa na delegacia para inocentar M. Alegou que se enganara ao reconhecê-lo. "Claro, claro! Você pode prestar um novo depoimento, quando quiser, mas tenho o dever de perguntar se sofreu alguma ameaça", disse Capote. A moça hesitou por um instante até que admitiu sofrer pressão de M[3]. A intimidação começara ainda na tarde de sábado, algumas horas após o seu primeiro depoimento na delegacia. Pâmela entrou no Mercedes-Benz estacionado na porta de sua casa. O carro lhe pertencia, mas, em três meses de namoro, Cleber sempre o guiava. Pilotava motos também. Talvez fosse mototaxista, mas não falava sobre trabalho. Ela se recordava...

As batidas na janela do carro interromperam o pensamento. O motoqueiro parado ao lado deu o aviso: "Cuidado, você fala demais; o M. está de olho". Após o enterro, na tarde de domingo, Pâmela foi à casa de Angélica para consolar a família do namorado morto. Quando passava em frente a um bar, avistou M. no caminho. Pâmela congelou. Ela narrou na delegacia a conversa que os dois tiveram: "Olha para a minha cara. Você tem certeza de que fui eu?". A moça conseguiu confirmar. Ele continuou: "Já matei mais de cem, mas não esse". Na segunda-feira à tarde, dentro de um bar, a jovem reencontrou M. e um advogado dele. "Disseram para eu mudar o depoimento, pois, senão, iria complicar a minha vida", contou Pâmela.[4]

Apesar do pouco tempo de polícia, Alexandre Capote percebeu que o suspeito de matar Cleber tinha as características de um miliciano. Já se sabia da existência das milícias fazia pelo menos dois anos, desde 2004. Os milicianos desacreditavam não só as testemunhas de seus crimes, mas também os policiais dispostos a investigá-los. Se pressionada de novo por M., Pâmela poderia dizer, no futuro, que foi coagida a denunciá-lo. Capote pediu ao seu chefe, o delegado Nascimento, a um inspetor e a um oficial de cartório que assistissem ao depoimento de Pâmela.

Não havia dúvidas de que o caso se mostrava bem complicado. Para garantir a vida da testemunha, a única alternativa seria pedir a prisão temporária de M., identificado como soldado da Polícia Militar. Mais tarde, a investigação revelaria que ele chefiava a milícia Águia de M.

Capote narrou a história para alguns amigos de confiança e os viu balançar a cabeça: "Você vai prender o cara que faz a limpeza da área? Devia se dedicar a coisas mais úteis".

Naquela época, as milícias tinham a aura de "mal necessário" para expulsar traficantes, ladrões e estupradores de bairros e favelas. O miliciano se revelaria um Robin Hood invertido, mas por enquanto ostentava *status* de herói. A Águia de M. dominava um vasto território nas zonas norte e oeste do Rio de Janeiro. Sob comando de M., os criminosos "faziam a limpeza" em pelo menos sete bairros habitados por 330 mil pessoas. O grandalhão meio calvo consolidou a quadrilha em 2006, aos trinta anos, seis deles na Polícia Militar.

Era um homem ousado que falava em legalizar as milícias por meio de parcerias com o governo do Estado. Propôs transformar as favelas em condomínios fechados, vigiados por seguranças. Ele dizia que pagaria impostos para transmitir legalmente o sinal de TV a cabo, operar o transporte alternativo de vans e a venda do gás de cozinha, entre outras atividades. M. esgrimia um discurso de legitimidade com o argumento de que expulsara os bandidos do bairro. Elegeu o seu maior inimigo: o Comando Vermelho, a facção de Beira-Mar.

A pedido de Capote, a Justiça decretou a prisão de M. pela suspeita de assassinato de Cleber, porém a vitória durou pouco. Inexplicavelmente, a investigação trocaria de delegacia. Por muitos anos, Capote guardou as três folhas da denúncia, recebida pelo Ministério Público, que relatava pagamento de propina da milícia a uma autoridade policial, até hoje não identificada, para que o caso saísse de suas mãos[5]. Duas semanas após a morte de Cleber, a chefia da Polícia Civil determinou a transferência do inquérito da 30ª Delegacia de Marechal Hermes para a Divisão de Homicídios. M. se entregou, jurou inocência e apresentou um álibi. Ele disse que oferecia uma feijoada para trinta convidados na sua casa, quando aconteceu o assassinato de Cleber. Três convivas apareceram na delegacia para confirmar a história. A feijoada seria pagamento de promessa a São Sebastião. Durante sete anos, M. realizaria o banquete em 20 de janeiro, o dia do santo, se ingressasse na Polícia Militar. Ele contou que estava na sexta comemoração desde a aprovação no concurso da PM.

Apesar do álibi, M. continuou preso até surgir uma reviravolta no caso. Pâmela apareceu na Divisão de Homicídios para inocentá-lo. Assim como previra Capote, ela disse que acusou M. coagida pelos policiais de Marechal Hermes. Também afirmou que Cleber fazia assaltos. Jogou assim luz e lama sobre o passado do ex-namorado, que seria mototaxista de profissão. Ao descrever o assassino de novo, a moça mudou radicalmente o perfil do suspeito. Ele agora tinha a pele morena, não branca, e estatura média, na faixa de um metro e setenta. "Quero deixar claro que, pelas características físicas, o assassino não pode ser M.", fez questão de dizer Pâmela.[6]

Sem testemunha de acusação, não havia como manter o acusado na cadeia. M. ganhou a liberdade. Ainda teria tempo de realizar a sétima e última feijoada para São Sebastião, até ser preso de novo, acusado de outro homicídio, em agosto de 2008. Naquele ano, as milícias se tornaram alvo da polícia fluminense. O romance com o grupo acabara definitivamente após milicianos de outra área da cidade torturarem uma equipe do jornal *O Dia*. A Justiça sentenciou M. a mais de trinta anos de prisão por assassinato e formação de quadrilha armada, porém ele jamais seria condenado pela morte de Cleber.

Quase dois anos sem dar sinal de vida, Pâmela reapareceu na 30ª Delegacia de Marechal Hermes. De mudança para a 21ª Delegacia em Bonsucesso, outro bairro da zona norte, Capote preferiu não atendê-la. Não queria parecer obcecado pelo caso. Ao delegado Nascimento, Pâmela contou que acabara de receber ameaça de um motoqueiro: "Agora, eu posso fazer o que quiser contigo, o M. liberou. O dia que te encontrar de madrugada vou te matar".[7] Pâmela admitiu para o delegado que mudou o depoimento na Divisão de Homicídios pressionada pelos milicianos. Com medo de morrer, ela deixou de reconhecer M. como assassino de Cleber. Essa seria a sua última declaração às autoridades. Nos meses seguintes, por inúmeras vezes, a Justiça convocou Pâmela para depor na ação penal do homicídio de Cleber, mas nunca a localizaram.

Em dezembro de 2011, recluso no presídio federal de Mato Grosso do Sul, M. participou de audiência no Tribunal do Rio de Janeiro por meio de uma videoconferência. Três anos de cadeia lhe tiraram parte do vigor físico, mas não o tom desafiador. "Eu fazia bicos como segurança para comerciantes e era detestado pela bandidagem", disse ele ao juiz. "Depois daquele assassinato, soube que estava sendo acusado e procurei me inteirar. Cleber era assaltante e traficante. Pâmela era viciada em drogas e se relacionava com traficantes facilmente", afirmou. M. apresentou a sua tese. Achava que Pâmela ainda poderia inocentá-lo, mas estaria em alguma comunidade dominada pelo Comando Vermelho, a quem considerava o seu feroz inimigo. O tráfico não a deixaria ir ao tribunal falar a verdade.[8]

As testemunhas de defesa, que na Divisão de Homicídios atestaram o álibi da feijoada no dia do crime, não compareceram para repetir a versão em juízo. O ex-chefe da milícia elegeu Alexandre Capote como alvo. Disse que o delegado manipulou as investigações, cometeu falhas no inquérito e o perseguiu por motivos pessoais. Capote respondeu a um processo na Corregedoria da Polícia Civil, acusado de coação de testemunha, mas nada ficou comprovado.

No começo de 2012, a Justiça e o Ministério Público concluíram que, sem o depoimento de Pâmela, ficava impossível condenar M.

Ele foi inocentado; e o processo, arquivado. O assassinato de Cléber entrou para a vergonhosa estatística de crimes nunca esclarecidos. No Estado do Rio, a polícia tinha 27,4 mil inquéritos de homicídios em andamento entre 2010 e 2014, mas apenas 1.200 deles resultaram em denúncias à Justiça. Ou seja, ficaram impunes 26 mil mortes, 95% do total[9]. É fácil matar sem ir para cadeia. Em parte, isso acontece porque a sucateada Polícia Civil não consegue investigar o poder paralelo.

Quando o caso M. caiu em suas mãos, Capote fizera uma reflexão parecida com a de seu ídolo Eliot Ness: "Do que adianta estudar, passar num concurso difícil, ser um delegado e usar um distintivo, se você não pode investigar e prender quem comete crimes?". Alguns anos depois, já no comando da delegacia de combate a milícias, chamada de Draco, Capote entenderia que a prisão dos acusados não encerrava a história: "O miliciano fica com raiva, e você ganha um problema para o resto da vida. Ele não esquece, sente-se injustiçado e, assim como M., acredita que apenas limpava a área".

Casos de Polícia

26/03/15 06:00 ○ 26/03/15 14:51 2 Tweetar G+

Na Zona Oeste, milícia domina 38 conjuntos do 'Minha casa, minha vida' e até pinta seu símbolo nos condomínios

Luã Marinatto e Rafael Soares

Leia mais

Tamanho do texto A A A

Em agosto de 2014, a Secretaria estadual de Segurança Pública divulgou os resultados da Operação Tentáculos...

CAPÍTULO 12.
LIGA DA JUSTIÇA USA O SÍMBOLO DO BATMAN COMO INSÍGNIA E ASSINA CRIMES COM 40 TIROS

Outras milícias vieram no rastro da Águia de M. A Liga da Justiça dominou grande parte da zona oeste da cidade, onde vivem mais de 2,5 milhões de pessoas. Para demarcar o território, os milicianos pintavam, no muro das casas e na parede do comércio, o símbolo do Batman. Um dos chefes do bando, ex-policial militar, tinha o apelido do homem-morcego, daí a insígnia da quadrilha. Assim como M., os criminosos da zona oeste obrigavam moradores a pagar taxas de proteção, aderir ao gatonet, comprar gás de cozinha no depósito indicado e usar o transporte de vans sem reclamar do serviço. Cada milícia tem uma "assinatura", a Liga da Justiça matava os desafetos com 40 tiros.[10]

Inúmeros políticos tinham simpatia por M., mas achavam descabido o seu plano de fazer acordo com o governo para legalizar as milícias. O vínculo com o poder público tinha que ser sutil, não escancarado. Ao contrário de M., a Liga da Justiça achou um caminho mais interessante ao conluio: eleger políticos entre seus integrantes. Com o aval das urnas, eles se encarregariam de transformar em "batcavernas" os gabinetes da Câmara de Vereadores e da Assembleia

Legislativa. Muito além das taxas abusivas, os milicianos podiam extorquir votos dos moradores.

Inspetor da Polícia Civil, Minho conquistou uma cadeira de vereador na cidade do Rio. O irmão Lino, às vezes chamado de Mata Rindo, elegeu-se deputado estadual. Um tanto gorduchos, os dois tinham a aura de tiozinhos bonachões. Em agosto de 2007, a dupla dinâmica participou da inauguração de uma obra de saneamento ao lado do então governador Sérgio Cabral. Minho se destacava no palanque de camisa rosa-choque e óculos escuros, mas Lino roubou a cena ao entoar o hino de sua campanha eleitoral, a canção "Eu vou vencer". "Eu já venci, você já venceu. Juntos, nós vencemos com Deus", cantou ele, olhando para Cabral, que comovido lhe deu um abraço e tapinhas nas costas[11]. Em comum, vários acusados de chefiar a milícia gostam de cantar, principalmente música gospel.

A Liga da Justiça fazia sucesso no palco, de shows e da política, mas nos bastidores intensificava a matança no bairro. Essa violência desmedida estragou o disfarce de "bom-moço" do miliciano. Aterrorizou o suficiente para provocar uma reação da polícia. Nem a simpatia de Cabral poderia detê-la. Alexandre Capote ainda nem sonhava em assumir a Draco. O comando pertencia ao delegado C. F., encarregado de colher provas contra o bando da zona oeste. Na manhã seguinte ao Natal de 2007, a Justiça mandou prender o vereador Minho. Sete meses depois, o seu irmão Lino teve o mesmo destino. Ao ser detido em casa, ele caminhou até o carro da polícia estacionado na rua e levantou as algemas acima da cabeça, como um mártir vítima de armação. Policiais armados com fuzis observavam a encenação de longe.

Minha chorava atrás de Lino, seu tio. Como o pai já estava preso, ela se tornaria a herdeira política da família. Loira, olhos verdes e cara de boa-moça, aos trinta e um anos, Minha se lançou candidata a vereadora em 2008. A Polícia Federal logo suspeitou do envolvimento da campanha com a milícia. Com base na investigação dos agentes federais, a Justiça decretou a prisão de Minha no meio da disputa eleitoral. Algemada dentro da viatura da PF, ela ouvia um homem cantar com a voz que lhe parecia a de um tenor. Era o ex--policial militar Tânsa. Ele também fora preso na operação que visava a impedir a coação de eleitores pelos milicianos. Acusado de homicídios, Tânsa assumiria um dia a chefia da Liga da Justiça, mas ainda era cedo para afrontar a família e sua herdeira política. Preferia cantar na viatura.

Os policiais federais levaram Minha para a penitenciária federal de Catanduvas, no Paraná, a 1.300 quilômetros do Rio. Ela foi a primeira e talvez a única mulher a ficar detida ali, um cárcere destinado aos bandidos mais perigosos do Brasil. Os agentes penitenciários não sabiam como lidar com a situação. Em quase dois meses de prisão, Minha perdeu seis quilos. À noite, passava seus piores momentos com medo de insetos, que lhe pareciam "alienígenas" a invadir a sua cela individual. O presídio fica numa área afastada da cidade, cercada de pasto a perder de vista e algumas manchas de floresta.

Mesmo afastada da campanha, Minha obteve uma vitória impressionante com mais de 22 mil votos. Alguns dias após a vitória, ela também ganhou a liberdade. Com o fim da eleição, a sua prisão preventiva para proteger a vontade dos eleitores não fazia mais sentido. Tomou posse radiante na Câmara Municipal, porém foi cassada seis meses depois, acusada de ter arrecadado ilegalmente 44 mil reais na campanha. Só recuperou o mandato com outra decisão judicial, no começo de 2012. Era ano eleitoral de novo. Minha tentaria se reeleger, mas a Liga da Justiça não lhe serviria de cabo eleitoral.

Afinado com o ex-policial Batman, que estava preso desde maio de 2009, "o tenor" Tânsa assumiu o comando da milícia. Ele manteve o homem-morcego como mascote da quadrilha. Os seus homens chegavam às boates com o símbolo estampado no boné. Minha achava a cena ridícula, mas fora isso o novo chefão não a incomodava. Até que um dia, segundo ela conta, Tânsa pediu três cargos no gabinete da Câmara de Vereadores.[12]Em troca das nomeações, a Liga da Justiça liberaria a entrada de cabos eleitorais em comunidades que controlava na zona oeste.

Como os antigos coronéis do Nordeste, os milicianos impunham o voto de cabresto. Mesmo em tempos modernos, a Justiça Eleitoral não convence um sujeito acuado pela violência de que o voto é secreto e de que a urna eletrônica não revela qual candidato ele escolheu. Moradores que cruzam na rua com bandidos armados com fuzis têm medo de desobedecer à milícia. Por isso, os mais acuados passam dados do título de eleitor aos criminosos. Acham melhor votar conforme as ordens do que se arriscar confiando na tecnologia das urnas.

Minha procurou a Polícia Federal para denunciar a proposta de Tânsa. Ela se sentia desamparada, sem a proteção do pai, Minho, e do tio, Lino. Reclamava que homens armados a expulsavam das localidades onde tentava fazer campanha. Tânsa esteve presente numa das ações que terminou em tiroteio. "Só para você ter uma ideia, ele chegou ao local em um Porsche", disse Minha, sentada à mesa de seu comitê de campanha, na calorenta zona oeste.[13] Do lado de fora, dezenas de maltrapilhos formavam uma fila à espera de alguma ajuda financeira. Estacionada na calçada, uma viatura da PM cozinhava dentro os policiais encarregados pela Secretaria de Segurança de proteger a candidata.

Naquele dia, uma turma de cabos eleitorais aguardava Minha para a caminhada pelas ruas, mas ela não tinha pressa, e o calor não a animava. Retirou da gaveta um maço de cartas do pai. Minho pedia que a filha mantivesse o *slogan* que a família adotou na política. Entre a leitura de uma e outra correspondência, garantia que o pai e o tio nunca foram milicianos. Trabalhavam com assistência social nos bairros.

Em 2012, Capote já comandava a Draco. Minho pediu para falar com ele no presídio federal de Campo Grande, capital de Mato Grosso do Sul. O delegado desembarcou no aeroporto da cidade — espalhada numa planície de temperaturas altas — e rumou para a penitenciária na expectativa de obter alguma revelação sobre as milícias, mas Minho entoou uma cantilena sobre as ameaças de Tânsa contra a sua filha. Para não ficar em branco, Capote conversou com os agentes penitenciários e deu uma olhada na ficha dos presos. A maioria deles era milicianos do Rio.

Apesar da boa estrutura de campanha, com *outdoors*, carros de som e cabos eleitorais, Minha perdeu as eleições. Tânsa teve uma vitória pouco duradoura. Em julho de 2013, ele levou um tiro durante uma briga na boate que frequentava. Precisou ser levado ao hospital e acabou capturado. A polícia encontrou um computador no seu esconderijo com o histórico das páginas visitadas na internet, mostrando várias pesquisas sobre Capote. Em depoimento na Draco, Tânsa manteve o discurso dos milicianos. Ele disse que se considerava um policial militar, mesmo depois de expulso da corporação. Jurava que apenas garantia a segurança nos bairros da zona oeste.

Menina é a 12ª vítima de bala perdida no RJ em nove dias

Criança de 12 anos foi baleada em frente à casa onde mora, no Morro do Chapadão, em Costa Barros. Levada ao hospital, ela tem quadro estável

Por **Da Redação**
🕒 26 jan 2015, 09h29

" A violência do Rio está matando as nossas crianças "

CAPÍTULO 13.
ASSALTANTES ARRASTAM CRIANÇA PRESA AO CARRO. BALA PERDIDA MATA GAROTA NA QUADRA DE SAMBA

O telefone de Alexandre Capote tocou na madrugada de quinta-feira, 8 de fevereiro de 2007. "Aconteceu uma coisa horrível", disse o delegado Pires e acrescentou sem rodeios: "Roubaram um carro, na fuga arrastaram uma criança". Capote continuava na 30ª Delegacia da Polícia Civil, em Marechal Hermes, mas agora promovido a delegado--assistente. Os ladrões abandonaram o Corsa prata metálico "pintado de vermelho pelo sangue do menino", recorda-se Capote. Quando ele chegou ao local, os peritos criminais tinham removido o corpo mutilado. A tragédia começou algumas horas antes. Assaltantes atacaram uma comerciante. Ela e a filha de treze anos conseguiram sair do veículo, mas o filho de seis anos ficou pendurado ao cinto de segurança do lado de fora. O bandido que assumiu o volante não esperou, percorreu sete quilômetros e arrastou o menino por catorze ruas.

No domingo seguinte, Carlos Eduardo, de vinte e três anos, resolveu se entregar em uma praça próxima à delegacia. Era ele quem dirigia o Corsa na fuga. Por causa da repercussão do crime, achava a cadeia mais segura que as ruas. Temia ser linchado. Enquanto os fotógrafos registravam o rosto sem emoção do sujeito baixinho, Capote cravava nele um olhar fixo de quem poderia esganá-lo a qualquer momento. Durante a madrugada, a delegacia recebeu telefonemas anônimos de pessoas que pediam, sem qualquer cerimônia, a execução a sangue-frio do acusado. Os policiais passaram no teste de autocontrole, deixaram o caso para a Justiça resolver.

Um ano depois, em janeiro de 2008, o Tribunal do Júri condenou Carlos Eduardo a quarenta e cinco anos de reclusão e o segundo assaltante, Diego, que estava no banco do carona, a uma pena de quarenta e quatro anos. O terceiro envolvido era um adolescente no banco traseiro do Corsa. Menor de idade, ele ficou três anos internado em um instituto de reeducação, depois saiu do Brasil com a ajuda de uma organização não governamental.

O caso foi o primeiro de grande repercussão na carreira de Capote. Também chocou. Nunca imaginara lidar com assassinos de criança. Durante a infância e a juventude, ele morou em Botafogo, na zona sul, e depois em Jacarepaguá, na zona oeste, sem grandes experiências com a violência do Rio nem sentimento que o inspirasse a virar policial. Fez o curso de direito na Universidade Federal do Rio de Janeiro, concluído em 1999, e deu o primeiro passo profissional como estagiário na Procuradoria do Estado, órgão público que defende o Poder Executivo em ações na Justiça. Havia pouca emoção ali, em salas repletas de pilhas de papel à espera da tecnologia digital, que ainda tardaria a chegar.

Um escritório de advocacia atuante na área de crimes fiscais parecia mais interessante. Era um momento em que os brasileiros começavam a ouvir histórias sobre os delitos contra a ordem tributária e lavagem de dinheiro, mecanismos da corrupção política. Como alguns clientes tinham interesse em inquéritos da Polícia Civil, Capote interagiu com delegados promissores, bem informados e elegantes em seus ternos bem cortados. A instabilidade do emprego privado também pesou na decisão: ele faria concurso para a Polícia Civil. Só não imaginava esbarrar com tantas tragédias.

Algum tempo após a morte do menino arrastado pelo carro, Alexandre Capote se transferiu para a 21ª Delegacia, no bairro de

Bonsucesso, próxima ao conjunto de favelas do Complexo do Alemão, uma das áreas mais violentas da cidade naquela época. Traficantes armados com pistolas, metralhadoras e fuzis desciam os morros em comboio, passavam ameaçadores em frente à delegacia, sem qualquer preocupação com os policiais que observavam assustados tudo aquilo. Os bandidos ameaçavam atacar o prédio, se a repressão contra o tráfico de drogas aumentasse na região, já conflagrada.

Policiais militares e traficantes se enfrentavam com frequência em aterrorizantes tiroteios. Entocados em becos no morro, os jovens soldados do tráfico disparavam a esmo para o alto a fim de mostrar o poder bélico e o pouco caso deles pela vida. Em fevereiro de 2009, a estudante Julyana, de catorze anos, foi atingida por uma bala perdida quando estava na quadra da escola de samba do bairro, sentada próxima à bateria, que ensaiava para o esperado carnaval da semana seguinte. Naquele ano, Julyana faria o seu primeiro desfile na escola, como integrante da ala mirim.

Ficou na memória de Capote a história contada pela menina que conversava com Julyana. A garota se distraíra ao ver um menino bonito passar. Quando voltou a atenção para a amiga, percebeu que Julyana tinha o rosto ensanguentado; o sangue saía dos olhos, da boca e do nariz, igual a filme de terror. A princípio, Capote suspeitou que algum delinquente sacou a arma numa briga na quadra da escola, mas, ao analisar o trabalho dos peritos, concluiu que a bala partiu dos morros vizinhos, passou entre centenas de pessoas que dançavam e atingiu o rosto de Julyana sem muita velocidade, mas com força suficiente para atravessar o olho, se alojar na nuca e matar. O tiro de fuzil havia percorrido quase dois quilômetros de distância. Não havia chances de identificar o assassino.

* * *

Naquela época, o delegado C. F. estava na linha de frente do combate aos milicianos. Conquistara o prestígio na Polícia Civil e as manchetes dos jornais, ao conduzir o inquérito que resultou nas prisões dos irmãos Minho e Lino, chefes da Liga da Justiça. Criada em junho de 2008, a CPI das Milícias amplificou a imagem e a voz de locutor que C. F. tinha. Dois anos depois, ele escreveu um livro baseado em fatos reais que virou filme de sucesso nos cinemas sobre as milícias, a corrupção no governo e a batalha perdida da Polícia Militar nos morros cariocas. Fora dos holofotes, o trabalho de Alexandre Capote chamou atenção do agora famoso delegado C. F. Os dois combinaram um encontro. "Ele disse que viu meus inquéritos, o do caso do Águia de M. lá atrás, e achou que eu tinha o perfil", recorda-se Capote sobre a conversa com o homem que então conhecia pelo noticiário da TV. Logo depois recebeu o convite para trabalhar na Draco, como delegado-assistente. Considerou a proposta irrecusável.

Na sua primeira operação na Draco, em agosto de 2009, Capote prendeu os milicianos do Bonde do Ju, acusado de assassinar mais de cem pessoas em Nova Iguaçu, cidade da Baixada Fluminense, provavelmente numa briga da quadrilha. Apontado como chefe da milícia, o ex-policial militar Ju seria capturado e condenado por formação de quadrilha e por homicídio. Ao ler a sentença, o juiz se dirigiu a ele: "O Estado que o preparou para a defesa da sociedade, como membro da Polícia Militar, acaba igualmente atingido. Quem lhe dota de poderes para matar? E matar de forma absoluta, atroz e ferozmente por simples desavença com membros de uma organização criminosa onde exercia a liderança".[14]

A mulher de Ju se elegeu vereadora na Baixada Fluminense, em 2012. O marido estava preso havia dois anos. Após a vitória nas urnas, ela escreveu em sua página na internet: "Sou a esposa de um dos maiores líderes comunitários, que hoje sofre com a injustiça e a perseguição. Mas aqueles que o perseguiram não esperavam que tantas famílias indignadas mantivessem viva a chama desta luta".

Quando ocorreu a prisão de Ju, cerca de mil pessoas fecharam a pista da rodovia Presidente Dutra em protesto contra a operação da Draco em Nova Iguaçu.[15] Segundo a Polícia Federal, cada manifestante ganhou da milícia um ano de gatonet grátis para fazer o bloqueio na estrada. "Depois que a PF nos avisou, nós fomos lá e estouramos a central clandestina de TV, que tinha milhares de assinantes", lembra-se Capote, com um sorrisinho discreto nos lábios finos.

Na investigação seguinte, a Draco atacou a milícia do Gardênia Azul, bairro da zona oeste do Rio. A uma semana do Natal de 2009, a equipe de Capote seguiu para o bairro em comboio com a missão de confundir os milicianos. O verdadeiro alvo se encontrava a quilômetros de distância, dentro da Câmara de Vereadores, no centro da cidade. Alguns policiais à paisana cercaram o prédio para prender o vereador e sargento do Corpo de Bombeiros acusado de chefiar a quadrilha. A operação fora antecipada porque ele viajaria de férias. Ao perceber o cerco, o vereador se refugiou na sala da Presidência da Câmara, que nada podia fazer. Ele se entregou algum tempo depois. A Justiça o condenou a catorze anos de prisão.[16]

A Secretaria de Segurança promoveu Alexandre Capote a delegado de segunda classe pelo critério de antiguidade, no começo de 2010.[17] Ele trilhava uma carreira promissora em quatro anos na polícia, mas a vida pessoal lhe reservava outros planos. Três dias após a promoção, o delegado surpreendeu a sua equipe ao pedir licença não remunerada da Draco para morar em Toronto.[18] A mulher dele passaria a trabalhar no Canadá com salário melhor e lhe fizera a proposta: "Vem comigo, aproveita, faz um curso, aprimora o seu inglês". A lei permitia o afastamento, porém não dava garantias sobre o futuro na polícia. Quando voltasse, Capote poderia ser transferido para qualquer delegacia, mesmo alguma sob influência de milicianos. Ainda assim, decidiu que valia o risco atrás de uma boa experiência de vida.

Na terra estrangeira, em pouco tempo, observou que, no Canadá, era inimaginável a cena de crianças perambulando maltrapilhas pelas ruas da cidade, como nas imediações da Estação Central do Brasil, onde ficava a sede da Draco. Qualquer cidadão de Toronto abordaria uma criança fora da escola com perguntas do tipo: "Onde estão seus pais? Por que você não está na sala de aula?". Nas conversas com o visitante brasileiro, os canadenses perguntavam sobre as belezas do Rio, tão bem retratadas em cartões-postais. Quando descobriam que o interlocutor era delegado de polícia, mostravam-se estarrecidos com a violência no Brasil.

A licença da Polícia Civil valia por dois anos, mas alguns meses depois o casal regressou ao Rio de Janeiro. Nascida no Canadá, a mulher de Capote viera para o Brasil ainda criança e, na volta à terra natal, sofreu com o choque cultural e as dificuldades de entrosamento, a começar pela limitada vida noturna canadense, recorda-se Capote. Por ele, tudo bem. Gostava de ficar em casa, animado para estudar direito em Toronto, mas, se um não queria, os dois não ficariam. O casamento ia bem; duraria mais dois anos. Logo que retornou ao Brasil, Capote telefonou para o delegado C. F. Recebeu a notícia de que poderia reassumir o combate às milícias. Assim que o fez, começou uma grande investigação que mudaria a sua vida.

Notícias   Rio

17/09/14 05:00   [Curtir 0]   Tweetar   [G+]

ícias: as vítimas do medo

anterior

Tudo Sobre [?]   Elenilce Bottari e Sérgio Ramalho - O Globo

Baixada Fluminense
(RJ)   Tamanho do texto A A A

RIO — A violência entrou na vida de ███████ ████ ████████ e de
██████ ██ █████ █████, moradores da comunidade do Barbante, em
█████ █████ ██ que ambos ██████████ uma chacina em

CAPÍTULO 14.
CAPA PRETA: MILÍCIA ELIMINA TESTEMUNHAS E PÕE A CABEÇA DE DELEGADO A PRÊMIO

Antônio precisava ser três pessoas ao mesmo tempo no depósito de gás, que vendia botijões de treze quilos no bairro Parque Esperança, em Duque de Caxias, a maior cidade da Baixada Fluminense. Ele era o dono, o gerente e o empregado do estabelecimento. O sócio Magui ficava ausente boa parte do dia porque possuía outros seis depósitos. No primeiro semestre de 2009, Antônio não lembra o mês, dois homens com pistolas na cintura o procuraram. Um se apresentou como soldado da PM, e o outro disse ser ex-policial. "A área está fechada desde Gramacho até a divisa do Pilar", disseram eles, referindo-se a bairros em extremos opostos da cidade. Parque Esperança ficava a meio caminho de ambos. Os dois visitantes podiam ser mais diretos e foram: "Você terá que pagar pra gente dois reais por botijão vendido". Antônio permaneceu mudo. Em seguida, os homens lhe deram as costas para encontrar um terceiro, parado no portão. Os três entraram em um Ford Fusion preto e sumiram de vista.

Horas depois, Antônio transmitiu o recado a Magui, seu sócio. Sujeito ajuizado, de trinta e três anos, nascido e criado em Duque de Caxias, Antônio acreditava que o recado partira da Família é Nós, o clã que montou um quartel-general na comunidade de Gramacho, o bairro mencionado pelos homens que estiveram no depósito. O patriarca J., soldado reformado da PM, mais conhecido como Jo é Nós, elegera-se vereador de Duque de Caxias com mais de 7 mil votos, em 2008. Colheu nas urnas os frutos de projetos de assistência social em Gramacho, onde ficava um lixão considerado o maior da América Latina, frequentado por militares de catadores de materiais recicláveis. O filho F., chamado de F. é Nós, havia sido expulso da PM acusado de extorquir dinheiro de traficantes de drogas.[19] Ele chegou a ser preso, mas agora estava livre e armado pelas ruas. L., o outro filho, também era soldado da PM e cuidava da segurança da família.

Antônio e Magui decidiram pagar a taxa de dois reais. No final do mês, a gorjeta para os milicianos chegaria a 6 mil reais, pois o depósito vendia 3 mil botijões. Era um valor salgado, mas Antônio temia a Família é Nós o suficiente para obedecer. Não fazia muito tempo, grupos de bandidos agiam espalhados e sem coordenação por Duque de Caxias, município de quase 1 milhão de habitantes que abriga uma das maiores refinarias da Petrobras. A riqueza gerada pelos impostos da indústria petrolífera pouco se vê nas ruas, calçadas e casas arruinadas. É mais fácil observar o crescimento desordenado de favelas. A partir de 2007, o novo bando passou a dominar um punhado de bairros, exigindo taxas dos comerciantes. Os criminosos que atuavam sozinhos passaram a trabalhar como gerentes, cobradores de dinheiro ou seguranças da organização que se firmava. Na opinião de Antônio, a Família é Nós estava no comando, não havia o que fazer.

Não bastasse o problema com a taxa de dois reais imposta pela milícia, havia o aborrecimento com um amigo inconveniente de Magui. Antônio decidiu deixar a sociedade para abrir outro comércio, agora em parceria com o pai. O comércio de gás foi inaugurado em julho de 2009 na rua próxima ao campo de futebol do time do bairro São Bento. O empresário seguiu as normas legais à risca, declarou à Receita Federal que a sociedade tinha capital social de 30 mil reais, valor bastante sincero em relação ao porte do estabelecimento[20].É comum donos de grandes empreendimentos informarem capital inferior ao real.

Por quase um ano, o depósito funcionou sem despertar a cobiça dos milicianos, até que um dia alguns comerciantes vieram falar com Antônio, trazendo uma má notícia. A milícia queria 1.250 reais por mês, uma taxa fixa, independentemente de quantos botijões cada estabelecimento vendesse. Outra vez Antônio se conformaria com a extorsão. Mas uma decisão de Magui, seu antigo sócio, mudaria o rumo das coisas. Dono de sete depósitos, Magui teria que desembolsar 8.750 reais por mês. Ele resolveu não pagar. Anunciou isso no sábado, 6 de novembro de 2010. Os milicianos não podiam simplesmente eliminar o empresário rebelado, que talvez estivesse protegido por seguranças. Sobrou para Antônio.

Um soldado da PM, o mesmo que apareceu pela primeira vez em 2009 com a pistola na cintura, surgiu de novo para transmitir o recado: "A partir de hoje, ou você está com a gente ou está fora". O policial disse que o comércio de Antônio passaria a ser base de distribuição de gás de cozinha das redondezas. A quadrilha assumiria a venda de botijões na cidade. Obrigaria moradores a comprar apenas nos locais controlados pelo bando, estratégia para levar à falência o rebelado Magui.

Antônio compreendia o dilema. "Estar fora" significava perder o depósito, o capital de 30 mil reais, o trabalho de uma vida inteira. Ele tinha família para sustentar. No entanto, não queria sobreviver com o dinheiro sujo do esquema das milícias. Quatro dias depois, na quarta-feira, Antônio procurou a Draco para denunciar os criminosos, mas o receio lhe travava a fala.[21] "Se você sofre extorsão, o único jeito é colocar tudo isso no papel", disse Capote. O delegado C. F. tentava ajudar no convencimento. Os policiais ofereceram o programa de proteção à testemunha. "Mas como mudar de identidade e sumir, se não posso deixar o meu negócio do gás? É justamente para não perder tudo que estou aqui", ponderou Antônio. Ficou nesse impasse até que ele decidiu prestar o depoimento.

Capote investigava a Família é Nós desde maio de 2010, quando uma testemunha ameaçada de morte relatou pelo menos vinte e um homicídios cometidos por milicianos. A extensa lista dos acusados envolvia trinta e quatro pessoas, sendo vinte policiais militares na ativa ou demitidos da corporação. Capote pediu que Antônio olhasse as fotos dos suspeitos. Ele reconheceu o vereador Jo é Nós e o filho F. é Nós. As investigações indicavam que a milícia cobrava "taxas de proteção" dos moradores, monopolizava a venda de cestas básicas, emprestava dinheiro a juros extorsivos, grilava propriedades, oferecia assinaturas clandestinas de TV a cabo e internet, agia no ramo de combustível adulterado e dominava o transporte alternativo de vans e mototáxis. O comércio do gás de cozinha era o filão de ouro do momento.

No início de dezembro de 2010[22], Capote terminou de escrever o relatório do inquérito. Além de Jo é Nós, testemunhas identificaram outro político como integrante da milícia, o também vereador Dão, que exercia o quarto mandato na Câmara Municipal de Duque de Caxias. Capote acusou Jo é Nós de manter currais eleitorais, seme-lhantes aos criados pelos antigos coronéis do Nordeste. O político teria pagado trinta reais a quem prometesse votar nele. Nesse ritmo, gastaria 210 mil reais na campanha, considerando os 7 mil votos que obteve, e não apenas os 9 mil reais declarados à Justiça Eleitoral.

Conforme determina a lei, vereadores só podem ser processados no Tribunal de Justiça, a segunda instância do Judiciário estadual. Alguns dias após receber o relatório de Capote, o Ministério Público pediu a prisão preventiva dos trinta e quatro investigados. O Tribunal levou uma semana para mandar prender todos os acusados. Finalmente, Capote e sua equipe da Draco tinham autorização para agir.[23]

Quando atingem quadrilhas poderosas, as investigações da polícia ganham um nome para traduzir o seu espírito. Por suges-tão de um agente da Draco, Capote batizou o inquérito contra os milicianos de Operação Capa Preta, uma referência ao deputado federal Tenório Cavalcanti. Nas décadas de 1950 e 1960, o político alagoano, que chegou ao Rio de Janeiro ainda adolescente, foi acusado de controlar grande parte da Baixada Fluminense a poder de crimes violentos, entre eles homicídios. Além de conquistar o território, o então deputado buscava o voto dos eleitores.[24] Ele transformou a sua casa em Duque de Caxias numa fortaleza a fim de se proteger de inimigos e das investidas da polícia. Para os investigadores da Draco, surgiu ali o embrião das atuais milícias. Tenório carregava uma inseparável submetralhadora alemã, que chamava de Lurdinha, debaixo de sua capa preta.

No início da manhã de terça-feira, 21 de dezembro de 2010, a campainha tocou no sobrado de muro alto onde morava Jo é Nós. Ele abriu o portão de bermuda e sem camisa, exibindo a barriga um tanto saliente. Aos cinquenta e poucos anos, era meio atarracado, de estatura média, pele bronzeada e cabelos grisalhos rareando. Acompanhado de três agentes, sem contar as dezenas que cercavam a casa, Capote se aproximou com o mandado de prisão. Jo é Nós ouvia, olhava incrédulo, de queixo caído. Ele encaixou o punho direito na cintura e escorou o cotovelo esquerdo no muro, segurando o celular. "A gente vai fazer uma busca aí também. Vamos lá", avisou Capote. Um policial empurrou a folha de aço do portão, tocando no ombro de Jo é Nós para que ele fosse na frente. O vereador sorriu sem graça antes de entrar em casa seguido pelos agentes.[25]

Depois de prender Jo é Nós, Capote seguiu para o prédio, já cercado por agentes armados com fuzis, onde morava o vereador Dão. O porteiro abriu o portão de grades brancas, e Capote surgiu no saguão. Passado algum tempo, vestindo camiseta, calça jeans e tênis, Dão apareceu na rua escoltado por Capote, cuja cabeça ficava na altura do ombro do homem que levava preso. Um pouco perdido entre tantos policiais e viaturas, o vereador de quase cinquenta anos teve dificuldades para acomodar suas pernas longas no banco traseiro do carro da polícia[26]. Três anos depois, Dão seria absolvido das acusações.

* * *

No sábado à noite, 5 de fevereiro de 2011, o centro de operações da PM mandou o policial militar M. checar um relato de homicídio na rua Sete de Janeiro, em Duque de Caxias. Chegando ao local indicado, o policial se comunicou com a central via rádio: "Maré zero, maré zero, negativo. Nada aqui". Mais tarde, na 60ª Delegacia da Polícia Civil, o policial contou que o hospital municipal Moacyr do Carmo, às margens da rodovia Washington Luís, recebera um homem ferido a tiros. Os atendentes informaram que o paciente em estado grave tombara no bairro São Bento, em frente a um comércio de gás.[27] O pai da vítima, que estava dentro do depósito, escutou os disparos, correu até a rua e encontrou o filho ensanguentado, mas ainda com vida. Uma hora depois, o empresário Antônio morreu.

O assassinato ocorreu três meses após Antônio prestar depoimento na Draco. Como já recebia ameaças, ele tentou voltar atrás na acusação contra a Família é Nós. Acompanhado de um advogado, alguns dias antes de morrer, Antônio procurou o Ministério Público Estadual para contar uma história que talvez lhe poupasse a vida. Disse que não conhecia Capote, que nunca estivera na Draco e que a assinatura em seu depoimento fora falsificada. Dessa forma, a sua denúncia contra a milícia não passaria de uma grande invenção do delegado.

As câmeras de segurança registraram a entrada de Antônio na Draco. Um exame grafotécnico facilmente comprovaria a sua assinatura no depoimento, mas ele estava muito desesperado para levar tudo isso em conta. Capote achou que "alguém foi em cima de Antônio, dizendo 'faz isso ou morre'. Ele fez e mesmo assim o mataram". Na segunda-feira seguinte, o delegado escreveu uma carta para o secretário de Segurança Pública relatando que a Família é Nós mandou ameaçar e matar testemunhas da Operação Capa Preta. Dizia que a identidade dos denunciantes ficou em sigilo, enquanto a investigação permaneceu no âmbito da Draco, mas, após a prisão dos suspeitos, advogados tiveram acesso a informações do inquérito policial na Justiça.

Antônio não seria a única vítima da queima de arquivo. Duas semanas antes, bandidos assassinaram a tiros de fuzil e de pistola o sargento reformado da PM que atuava como informante dos policiais e, por conta disso, sofria ameaças dos milicianos. Levou nove tiros, alguns no rosto, quando dirigia o seu carro numa avenida do bairro Gramacho, o reduto da Família é Nós.[28]

O serviço de inteligência da Draco recebeu a informação de que milicianos planejavam algo muito maior, queriam matar Capote. O delegado à frente da investigação contra a milícia estava agora com a cabeça a prêmio.

*   *   *

Os últimos acontecimentos já preocupavam muito, mas a semana ainda registraria um terremoto na Segurança Pública do Rio. Na sexta-feira, a Operação Estado Negro prendeu milicianos, policiais militares e civis envolvidos no desvio de armas do tráfico durante a ocupação das favelas do Complexo do Alemão, no final de 2010. O delegado C. F. colaborou com o inquérito da Polícia Federal. A operação atingia o comissário da Polícia Civil, A. T., ao levantar a suspeita de que ele vazara a investigação para um dos acusados se livrar da cadeia.

Havia um contexto de alta combustão. Alguns dias antes, a Secretaria de Segurança retirara a Draco da estrutura da Polícia Civil. Assim, a delegacia saiu da esfera de A. T. para ficar vinculada diretamente ao gabinete do secretário. Nos corredores da secretaria, comentava-se que C. F. ganhara poder e teria colaborado com os federais para derrubar o comissário da Polícia Civil, cargo que pretenderia assumir. Não existiam provas de vazamento contra A. T., porém as placas tectônicas se moveram.

No domingo seguinte à Operação Estado Negro, A. T. mandou a tropa de elite da Polícia Civil cercar e lacrar o cartório da Draco, onde ficavam os inquéritos da delegacia.[29]Correu a versão de que seria uma vingança. O comissário da Polícia Civil justificou a ação dizendo que recebera uma denúncia anônima de corrupção. Conforme o documento, C. F. abriu inquéritos para investigar suspeitas de fraude em licitações em Rio das Ostras, município da Região dos Lagos, com a única finalidade de extorquir dinheiro de funcionários da prefeitura.[30] Essa acusação também não se comprovaria, mas o delegado C. F. acabou afastado para que a corregedoria apurasse o caso.[31]

No meio dessa confusão, Alexandre Capote assumiu a Draco, mas disse que acertara comandar a delegacia muito antes da encrenca. Quando a poeira assentou, na quinta-feira seguinte, ele recebeu uma boa notícia. O Tribunal de Justiça autorizara a transferência de Jo é Nós e de F. é Nós para a penitenciária federal de Campo Grande, em Mato Grosso do Sul. Parecia que a 1.500 quilômetros do Rio, o presídio conteria a milícia, mas não seria assim. Muito pelo contrário.

Casos de Polícia

23/10/15 07:00 ↻ 23/10/15 16:48 Tweetar   G+

Cercadas por barreiras do tráfico, pessoas relatam a humilhação que sofrem na Região Metropolitana do Rio

18 c

Com

Os comentários
seus autores e
achar algo que
perguntas mais
ou ilegal.

Leia mais

Wilson Mendes

Tamanho do texto A A A

"Faz dois anos que meus parentes não vão lá em casa, desde que a rua foi fechada por traficantes com montes de terra. Por um lado, eles

CAPÍTULO 15.
O SURGIMENTO DAS NARCOMILÍCIAS COM A UNIÃO DE MILICIANOS E TRAFICANTES

No final de 2011, um relatório reservado do Ministério Público anunciava o impensável: o casamento entre duas facções outrora inimigas de sangue. A milícia e o tráfico fecharam um acordo com as benções de seus respectivos chefes, os irmãos Minho e Lino e Fernandinho Beira-Mar[32]. Pela parceria que estabeleceram, o Comando Vermelho pagaria advogados para os presos da Liga da Justiça. Em troca da ajuda, os traficantes receberiam a cooperação dos milicianos no esquema de venda de drogas em bairros e favelas cariocas.

Os chefes da milícia queriam assistência jurídica para deixar as penitenciárias federais o quanto antes. Eles desejavam cumprir o resto da pena em alguma cadeia do Rio de Janeiro. Nelas, estariam próximos não só da família, mas do território onde ainda causavam terror. Recluso em Campo Grande (MS), o genro de Minho sonhava com a transferência mais do que todos, segundo dizia o relatório do Ministério Público. Ele entrou em contato com advogados de Beira-Mar para executar o plano. Em 2008, o miliciano escapara facilmente de um cárcere fluminense, certamente a boa lembrança da fuga o animava a voltar.

Beira-Mar fechara o acordo com a milícia dentro do sistema penitenciário federal. Era mais um lance de sua ousadia sem limites. O relatório dizia que "cartas escritas por ele foram encontradas no complexo de favelas do Alemão. Nos textos, Beira-Mar sugere que seus comandados se aliem às milícias e até organizem sequestros de autoridades, inclusive religiosas, para trocá-las pela libertação de milicianos da zona oeste, como Batman, também recluso no presídio federal". O documento reproduzia o trecho de um bilhete atribuído ao chefe do Comando Vermelho: "Quem tem me passado, ou melhor, vendido algumas informações são os milicianos do Rio que estão aqui (no presídio)". As milícias têm acesso a delegacias e a batalhões da PM. Com informações sobre operações prestes a ocorrer nos morros, a facção podia alertar o tráfico com antecedência.

Na opinião de Capote, a associação entre as duas máfias gerou "uma superbactéria criminal". "Antigamente, os milicianos matavam os traficantes", refletiu Capote, "agora, a milícia os contrata para trabalhar com ela. Ou nem mexe com a boca de fumo. Cobra um porcentual sobre a venda de droga, como se fosse uma taxa de arrendamento do território." Essa parceria começou na Baixada Fluminense.

A convivência amistosa se estendia ao convívio social entre membros das quadrilhas. Violento integrante da Liga da Justiça, acusado de dezesseis homicídios[33], o ex-policial militar C. fugiu do batalhão prisional da PM pelo vão do ar-condicionado, numa madrugada de setembro de 2011. Três semanas após a fuga, C. fez uma festa de aniversário para o filho. Convidou os amigos mais chegados, entre eles um que traficava drogas.

Os negócios das facções incluíam o comércio ilegal de armas de guerra, usadas pelos bandidos para manter o domínio em territórios dentro da cidade à margem da lei. Na Operação Capa Preta, o delegado Capote descobriu que gerentes da milícia vendiam fuzis para os chefes do tráfico no Complexo do Alemão. O delegado trancafiou um tenente da PM acusado de monopolizar a venda de cestas básicas em Duque de Caxias, realizar empréstimos de dinheiro a juros extorsivos — de 30% ao mês — e oferecer o sinal clandestino da gatonet. O incansável oficial ia além do nicho tradicional das milícias: fornecia armamento aos traficantes do Alemão. Graças à patente, ele tinha dados sobre investigações da polícia, outra mercadoria que interessava ao tráfico.

Capote escreveu em seu relatório que o tenente era "bastante violento; exercia o papel de gerente com mãos de ferro, sendo comum substituir seus agentes de campo para cobrar pessoalmente as dívidas de moradores, com o valioso auxílio da farda". Em setembro de 2015, cinco anos após a Operação Capa Preta, o oficial continuava na folha de pagamento da PM com salário de 7 mil reais brutos. A "superbactéria criminal" identificada por Capote pode ser chamada de narcomilícias.

* * *

"Por fora vai ganhando terreno Doctor. Tomou a segunda e tenta a primeira. Na ponta, Fera mantém ainda um corpo de vantagem. Doctor corre em segundo. Contornam a curva do hospital, entram pela reta oposta e, na ponta, Fera mantém dois corpos de vantagem. Correndo por fora, Doctor. Em terceiro, Top. Em quarto, Finder. Em quinto, Tône. Assim, terminam a reta oposta e vão dar início à grande curva do Grande Prêmio Brasil 2012." O locutor se empolgou quando os treze cavalos do páreo entraram no trecho final da corrida, pois o pelotão que vinha atrás arrancou de repente aos gritos dos torcedores. Dimo tomou a dianteira e cruzou a linha de chegada em primeiro. Doctor perdeu terreno, amargou o penúltimo lugar, mas seus donos não estavam lá para assistir à derrota. Eles foram sequestrados quando chegavam ao Jockey Club da Gávea, na zona sul do Rio de Janeiro. A investigação da Polícia Civil apontaria que o crime foi tramado por um miliciano e um operador de caça-níqueis. O organismo da "superbactéria criminal" também trança a milícia com o jogo ilegal.

O empresário F. e a sua sócia M., que moravam em São Paulo, desembarcaram no aeroporto Santos Dumont quase ao meio-dia do domingo, 5 de agosto de 2012, o dia do grande prêmio. Acenaram para o táxi Meriva com destino ao Jockey. Já próximo do local, o taxista freou ao ouvir a sirene que parecia da polícia em seu encalço. O carona do Fiesta sedan preto portava um fuzil, e o homem no banco traseiro desceu com a pistola na mão: "Perdeu! Vai para a delegacia. É contraventor, tá preso". F. e a sua sócia M. foram algemados e colocados dentro do Fiesta. Enquanto isso, o sujeito do fuzil deu uma nota de cinquenta reais ao taxista para pagar a corrida, que marcava trinta e três reais no taxímetro.[34]

Por volta das 21h30 daquele domingo, dez horas após a abordagem no táxi, a polícia encontrou o corpo nu de uma mulher sobre um lençol coberto por arbustos na rua Bartolomeu, esquina com a Bulhões Marcial, em Vigário Geral, bairro da zona norte. Era M. Na manhã seguinte, às 8h50, os policiais localizaram F. O corpo do empresário fora jogado num valão na rua Carlos Sampaio, em Vila Ideal, bairro de Duque de Caxias, a 3,4 quilômetros do local onde acharam a mulher. Os dois morreram estrangulados, segundo a denúncia que o Ministério Público apresentou à Justiça.[35]

Alguns dias se passaram até que familiares reconhecessem os corpos. A identificação tardia ampliou o mistério sobre o crime. Policiais sempre dizem que a investigação nas vinte e quatro horas seguintes a um homicídio é fundamental para se chegar aos culpados, foi assim em 2006 quando Capote apurou seu primeiro homicídio relacionado à milícia. Nos dias de hoje, o avanço da tecnologia pode compensar o tempo perdido. Nem mesmo os bandidos mais experientes dispensam o uso do celular, mas o aparelho deixa rastros. Quando alguém usa o telefone, a antena chamada ERB (estação rádio base) não só completa a ligação, como também armazena em seu banco de dados informações sobre o usuário, a localização dele no momento do telefonema e o número para o qual ligou.

Para que a polícia obtivesse os dados, a Justiça quebrou o sigilo das antenas situadas no caminho, entre o aeroporto e o Jockey Club, por onde M. e F. passaram, possivelmente seguidos pelos sequestradores. Graças à placa do Fiesta, anotada pelo taxista, os agentes identificaram nos radares e câmeras da cidade as ruas pelas quais o carro passou, horas antes do crime.

Um programa de computador analisou milhares de ligações registradas pelas antenas, localizadas na rota dos criminosos e das vítimas. Os investigadores logo suspeitaram dos telefonemas de W. B. Ele usou a ERB da praça em frente ao aeroporto Santos Dumont. Entre 11h14 e 12h03, ou seja, antes e logo após F. e sua sócia M. desembarcarem, W. B. telefonou dez vezes para a mesma pessoa. O seu interlocutor era um homem conhecido por K., que utilizava uma antena no Aterro do Flamengo, também próximo ao aeroporto. A polícia concluiu que os dois só podiam estar de tocaia. A ficha criminal de K. registrava a sua prisão na Operação Capa Preta de 2010. Em seu relatório, Capote escrevera que K. tinha a função de gerente-assistente e comprava armas para a quadrilha. Algo chamou mais a atenção na diversidade dos negócios da milícia: o acusado exploraria jogos de azar.

Poucos minutos antes do sequestro, às 12h32, W. B. voltou a usar o celular em uma antena situada no Jardim Botânico, próximo ao Jockey Club, onde as vítimas seriam capturadas. Vinte minutos depois, o casal já era refém. W. B. telefonou do bairro da Penha na direção da Baixada Fluminense. Às 13h36, fez outra ligação nas imediações da avenida Brigadeiro Lima e Silva, em Duque de Caxias, próximo ao local onde o corpo de F. seria encontrado. Às 20h50, telefonou usando a antena situada a 400 metros da localidade onde M. foi deixada sobre o lençol. A sequência colocava W. B. na cena do crime, concluiu a polícia.

O rastreamento dos telefonemas mostrou que K. também seguiu para Duque de Caxias, porém era preciso esmiuçar mais a sua eventual participação no crime. Os policiais analisaram o histórico de ligações no celular dele. No período de 1º a 16 de agosto, havia quarenta e três contatos com um telefone de São Paulo, cidade onde moravam F. e M. O crime tinha ocorrido no dia 5. Na véspera, segundo os dados da antena, K. e o seu interlocutor paulista se encontravam no mesmo lugar em Duque de Caxias. No dia 8, após o crime, os dois estavam em São Paulo. Por meio desses cruzamentos, a polícia chegou a um sujeito conhecido por Karioca. Ele morava na capital paulista e seria o interlocutor de K.

Na fase seguinte da investigação, a polícia grampeou com autorização judicial os telefones dos suspeitos. O monitoramento revelou o elo entre Karioca e o empresário que atendia pelo apelido de Tenente. Trata-se de um provável operador de máquinas caça-níqueis. Os agentes descobriram que Tenente dividia a propriedade do cavalo Doctor com F. e M. No começo de abril de 2013, a polícia prendeu Karioca em um condomínio residencial da Grande São Paulo. Na mesma operação, apreendeu mais de 150 caça-níqueis na capital paulista.

Os investigadores anunciaram que Karioca resolvera contar o que sabia na Divisão de Homicídios no Rio de Janeiro[36]. Obeso de rosto inchado, chegando à casa dos quarenta anos, nascido na Baixada Fluminense, Karioca mantinha laços com a sua família que ainda morava na região. O seu irmão PM chegou a ser preso acusado de cobrar propina de traficantes de drogas. Karioca disse no depoimento que se mudou para São Paulo na tentativa de prosperar no ramo de caça-níqueis, pois havia operado na baixada e nos complexos de favelas do Alemão e da Maré.

Em São Paulo, Karioca conseguiu autorização para instalar máquinas em bingos clandestinos, pagando um percentual ao proprietário da casa. Ele contou à polícia que começou a trabalhar com Tenente no ramo dos caça-níqueis. Um dos sócios do negócio seria o empresário F., que tinha a sua sócia M. como pessoa de total confiança.

O depoimento na Divisão de Homicídio se estendeu pela madrugada. Karioca disse que Tenente o procurou em junho de 2012, ou seja, dois meses antes do crime, e perguntou se ele conhecia alguém no Rio de Janeiro que pudesse "dar um susto" em F., que estava de viagem marcada para assistir à corrida de cavalos no Jockey da Gávea. F. teria sofrido um atentado a tiros e suspeitava que Tenente estivesse por trás. O tal susto de agora dissuadiria uma vingança no futuro. Karioca afirmou que indicou K. para o serviço encomendado por Tenente. Preso por Capote pelo envolvimento com a milícia Capa Preta, K. já estava em liberdade. Encontrou-se com Tenente em um posto de gasolina, na região central de São Paulo.

No dia 4 de agosto, véspera do homicídio, Karioca viajou para Duque Caxias. Foi a um churrasco na casa de um policial no bairro Jardim Gramacho, o reduto da Família é Nós. Esse policial também estava envolvido no crime. O taxista, que levara F. e M. ao Jockey da Gávea, confirmara a participação do policial a quem reconheceu por fotos na delegacia. Disse se tratar do homem que portava o fuzil, vestia camisa parecida com a da Polícia Civil e retirara M. do táxi para depois algemá-la.

Karioca disse ainda que, depois do crime, recebeu de Tenente um envelope fechado de dinheiro. Sem saber o valor da quantia, mandou um motoboy entregar o pacote a K., que esperava no mesmo posto de gasolina do primeiro encontro em São Paulo. Para justificar a atitude pouco crível de repassar dinheiro sem contá-lo antes, Karioca disse aos policiais que estava perplexo com Tenente: "Poxa, cara, não era só para dar um susto no F.?". O outro teria respondido que também se surpreendeu com a violência. "E como K. identificou as vítimas, quando elas desembarcaram no aeroporto do Rio de Janeiro?", quis saber um agente. Karioca tinha um palpite. Ele usou as fotos que M. publicava no Facebook.

A polícia comemorou o resultado da investigação, mas toda a apuração cairia por terra em setembro de 2015, três anos após o sequestro de F. e M. Diante do juiz, Karioca desmentiu o que contara na delegacia com tantos detalhes. Ele disse que foi pressionado pelos investigadores a confessar e a inventar toda a história. Concordou porque estava havia nove horas sem água e comida. Não haveria outras provas contra os acusados para justificar a prisão. O Tribunal de Justiça mandou soltar os suspeitos, que deixaram de responder pelo assassinato. O caso passou ao arquivo, na seção de homicídios impunes[37].

Juíza é agredida por detentos durante vistoria em presídio, no Rio

Por **Agência Brasil** | 01/10/2015 18:52

Magistrada teve a blusa rasgada ao visitar Batalhão Especial Prisional no Rio; Agressores podem ser transferidos

CAPÍTULO 16.
A DESPEDIDA DE ALEXANDRE CAPOTE E A AGRESSÃO CONTRA A JUÍZA

Morador de Duque de Caxias, Alex prestou vários depoimentos, reconheceu os milicianos da cidade por meio de fotografias e, com isso, entrou na lista dos jurados de morte. "Você precisa aderir ao programa de proteção do governo", insistia Capote, mas Alex se esquivava. Um dia, ele chegou triunfante à Draco com um jornal embaixo do braço. A reportagem impressa dizia que faltava dinheiro para manter as pessoas a salvo e com identidade nova; 10% de um total de 1.200 testemunhas desistiram de viver escondidas em condições precárias. "Doutor, o senhor vai querer me botar nessa furada?", perguntou a Capote. Havia a alternativa da organização não governamental que oferecia abrigo fora da Baixada Fluminense. Alex concordou, mas não abriria mão de visitar a família. Numa dessas voltas a Duque de Caxias, a penúltima testemunha da Operação Capa Preta morreu com dez tiros dentro do carro, na noite de 19 de janeiro de 2012.

"Na primeira oportunidade em que botou os pés lá de novo, ele foi morto", lamentou Capote. O delegado se transformara na única testemunha viva contra os milicianos.

Pela primeira vez, Capote sentiu que lhe faltava ânimo para continuar na Draco. Quando recebeu aqueles homens em sua sala, potenciais colaboradores da Justiça cheios de dúvidas e amedrontados, o delegado falou sobre a necessidade do depoimento deles. Discorreu sobre o bem que fariam à sociedade ao denunciar os criminosos. Por fim, apresentou o programa de proteção a testemunhas como seguro de vida. Agora, assassinados os que ousaram a apagar milicianos, Capote experimentava o sentimento de frustração, certamente temperado por outro, o de culpa.

Ele traçou um plano B. Inscreveu-se no concurso para juiz estadual e, alguns meses depois, entrou na disputa por uma vaga de procurador da República[38]. Além de maior tranquilidade, o Judiciário tem seus atrativos financeiros com salários que podem chegar a 46 mil reais ante os 15 mil reais líquidos na Draco[39]. Não chegou a concluir as provas. Em outubro de 2012, a Secretaria de Segurança o promoveu a delegado de primeira classe por ato de bravura devido à Operação Capa Preta[40]. O reconhecimento lhe deu um pouco mais de fôlego. Refletiu sobre os avanços da investigação e, ao final, achou que pelo menos golpeara o núcleo político das milícias do Rio de Janeiro.

Nos anos seguintes, a Draco fez as operações Capa Preta 2 e Capa Preta 3, novamente em Duque de Caxias. Dessa vez, porém, a Justiça mandou soltar parte dos presos. A cabeça de Capote continuava a prêmio, agora mais do que nunca. Ele procurava não pensar nas ameaças de morte nem reclamar das regras de segurança que limitavam a sua vida social. Sempre acompanhado de policiais guarda-costas, não lhe era recomendável frequentar restaurantes, caminhar sozinho na praia ou dirigir o carro blindado com o vidro aberto. Não recebia muitas visitas em casa e mantinha o endereço em sigilo. Para explicar a resignação, apelava aos signos do zodíaco: "Sou virginiano [nascido em 2 de setembro], prefiro ficar em casa de boa; gosto de ler". Além do livro à mão, adormecia com a pistola na mesinha ao lado da cama.

A rotina um dia fica insustentável para todo mundo. E para Capote isso ocorreu em setembro de 2015. "Tenho a sensação de dever cumprido, e, com o tempo, você tem que mudar de área para renovar energias", disse Capote. Após sete anos, acreditava que as milícias perderam o *status* de "mal necessário", de protetores da sociedade contra traficantes. Ele deixou a Draco para trabalhar na 4ª Câmara Criminal do Tribunal de Justiça.

A sua nova função tinha a ver com os planos da juventude: ser advogado. Ele ajudaria uma desembargadora com pareceres jurídicos, que embasassem decisões judiciais. Nas primeiras semanas, ainda não tinha uma sala de trabalho, mas parecia bem animado com o emprego e a mudança de ares. O prédio do Tribunal fica longe do tumulto na Estação Central do Brasil, prédio onde funcionavam a Secretaria de Segurança e a Draco. A vida nova, porém, não apagava a do passado. Uma escolta de policiais continuava a protegê-lo. Capote sabe que a milícia Capa Preta nunca o perdoará.

* * *

A juíza Daniela Barbosa Assunção divide o ódio das milícias com o delegado Alexandre Capote. Ela condenou os integrantes da Capa Preta em outubro de 2013 a penas individuais que chegaram a vinte e quatro anos de prisão[41]. Após a sentença, o Tribunal de Justiça reforçou a escolta que acompanha a juíza vinte e quatro horas por dia, sete dias por semana. As ameaças de morte não a intimidaram. Daniela prefere combater organizações criminosas a ficar no gabinete tratando de casos banais, "um flagrante aqui e outro ali", costuma dizer no seu ritmo acelerado de falar.

Em outubro de 2015 — um mês após Capote deixar a delegacia de combate às milícias —, Daniela fez uma inspeção de surpresa no presídio destinado exclusivamente aos policiais acusados de crimes, entre eles inúmeros milicianos. Naquele dia, havia 221 presos numa cadeia repleta de regalias, que incluíam caixa eletrônico vinte e quatro horas, churrasqueira e suítes com chave na porta, como se fossem quartos de motel. Condenado pela juíza por chefiar a Capa Preta, Jo é Nós cumpria pena tranquilamente ali.

Durante a vistoria, Daniela anunciou o fim das mordomias para revolta de um grupo de quarenta presos que a cercou aos gritos. "A gente não é bandido. Vai fazer isso nos presídios de Bangu (o complexo penitenciário da zona oeste) que eu quero ver", esbravejavam os rebelados. Em seus catorze anos de carreira, a juíza passara em revista presídios com até 3 mil homens, boa parte ligada ao Comando Vermelho, sem que fosse agredida daquela forma. Mas os milicianos não se consideram iguais aos criminosos. Diferentemente do tráfico, a milícia leva para o campo pessoal a decisão do juiz. "É perseguição", reclamam os milicianos, que transformam o magistrado ou policial no inimigo a ser eliminado.

Os seguranças de Daniela mal tiveram tempo de puxá-la pelo braço. Os agressores rasgaram-lhe a blusa, enquanto um sapato e os óculos ficaram para trás na fuga. Finalmente do lado de fora, ela retomou o fôlego diante da gravidade da situação. O Judiciário que ela representava fora expulso de um presídio, mas isso não ficaria assim. Daniela voltou pouco depois acompanhada de homens do Bope, a tropa de elite da PM. A afronta custou caro, pois levou à transferência imediata dos internos para outro presídio, na cidade vizinha de Niterói, onde as regalias seriam cortadas por algum tempo.

Daniela sabia que a agressão era um potente soco do poder paralelo, formado pelas principais organizações criminosas do Rio. "A Baixada Fluminense foi o primeiro lugar em que a milícia deixou de lutar contra o tráfico de drogas", explicou ela, que atuou como magistrada da Capa Preta. "Ambos querem lucro e só. Não são concorrentes e não possuem ideologia. Também não existe rixa com o jogo ilegal. Desde que se respeite o território de cada um, estará tudo bem combinado. E os três grupos (traficantes, milicianos e contraventores) têm um ponto em comum: a corrupção policial."

Para Daniela, "a polícia não combate o jogo do bicho, pois todos os batalhões e delegacias recebem dinheiro". A PM só prende traficantes "pés de chinelo", os que ficam "boiando na pista" para usar a gíria do submundo. Se pegam bandidos mais graduados, os policiais da banda podre rodam horas com eles na viatura até conseguir um resgate dos chefes do tráfico. Também vendem para facções rivais as armas que apreendem nas favelas. Os chefões são poupados para manter a venda de drogas que sustenta a propina.

"A milícia é um problema ainda maior. Ninguém prende os milicianos porque tem medo ou rabo preso. Não existe um enfrentamento porque [os criminosos] integram a própria polícia", lamenta a juíza. Ela diz que um novato entra na PM com poucas chances de escapar do sistema de corrupção, predominante na maioria dos batalhões. "É obrigado a se corromper. Não pode ser o único dentro da guarnição que não recebe dinheiro, pois será considerado X9 [um espião no grupo]", afirma Daniela.

Não bastasse a corrupção policial, as organizações criminosas compram votos para eleger políticos cúmplices. Há uma infiltração deles nas esferas do Executivo e do Legislativo. "Hoje existe uma grande parcela do crime envolvido na política, e isso não aparece para a sociedade. O Estado não se faz presente. Então, os moradores vão seguir, acreditar e votar no Estado paralelo imposto pelos traficantes e milicianos", diz Daniela.

Ela se mantém uma juíza firme, mas há os percalços: "O que mais me fez querer desistir não são os processos complicados de presos perigosos, mas sim os obstáculos internos. Desanima a grande dificuldade de trabalhar; e ver que a corrupção não está só na polícia, mas em todas as instituições".

PARTE 4.

A LUTA DE PATRÍCIA

O batalhão do

Quartel da PM em São Gonçalo lidera denúncias do uso de a

Daniel Brunet

O 7º Batalhão da Polícia Militar (São Gonçalo) é o quartel com mais policiais denunciados por encobrirem assassinatos em autos de resistência — ocorrência onde o policial é autorizado a usar a força para conter o suspeito. Após analisar 168 autos, feitos a partir de 1998, a 2ª Promotoria de Investigação Penal (PIP) e a Promotoria do Júri em São Gonçalo encontraram falhas em 32 deles e denunciaram, nos últimos dois anos, 70 policiais — quase 18% do efetivo do batalhão. Ignorando diretrizes dos Direitos Humanos, os policiais executaram 35 pessoas. No final de julho, a Justiça julgou o primeiro dos 32 casos, e três policiais foram condenados a 18 anos de prisão.

Com 70 policiais seria possível compor o efetivo de uma Unidade de Polícia Pacificadora (UPP), em uma comunidade com mais de 40 mil moradores. No Batan, Zona Oeste do Rio, que tem a população deste tamanho, a UPP tem 55 homens.

E o número de denunciados pode aumentar. Dos 168 autos de resistência analisados, 115 (68,5%) ainda estão sendo investigados. Apenas 21 foram arquivados.

Há três anos, ao se deparar com uma ocorrência suspeita, o promotor

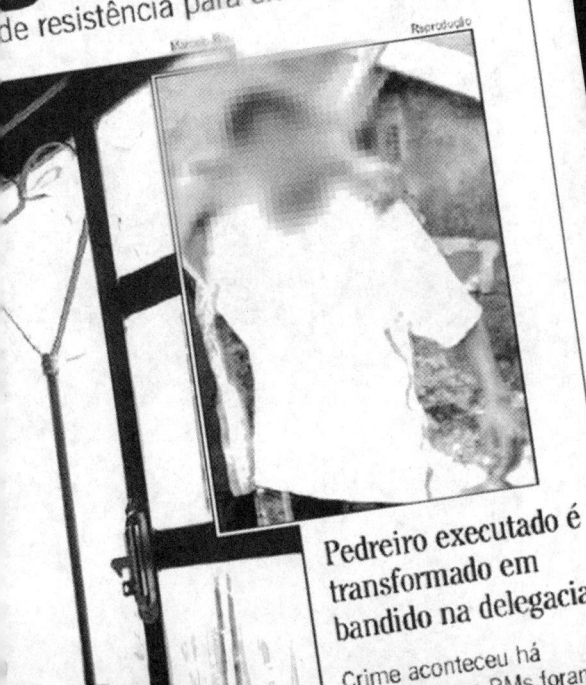

Domingo, 12 de setembro de 2010

gatilho

de resistência para encobrir execuções

Pedreiro executado é transformado em bandido na delegacia

Crime aconteceu há quatro anos e PMs foram

CAPÍTULO 17.
O ISOLAMENTO ACÚSTICO DA OMISSÃO

Na mesma época em que Alexandre Capote estreava na Polícia Civil, inspirado em Eliot Ness já focado no combate aos milicianos, a juíza Patrícia Acioli enfrentava as três maiores organizações criminosas do Rio de Janeiro. Ela recebia assustadoras ameaças de morte. O homem do telefonema anônimo podia ser da máfia dos jogos, do narcotráfico ou das milícias. E certamente representava os três grupos ao mesmo tempo.

Patrícia trabalhava em São Gonçalo, cidade do outro lado da baía de Guanabara, a cinquenta quilômetros da delegacia de Capote. A distância também se media pelo tempo. Quando o delegado começou, a juíza julgava, entre tantos réus, policiais acusados de homicídios fazia sete anos. Ela descobrira o fio condutor entre as organizações criminosas. Os policiais corruptos eram o elo dos esquemas. As digitais deles estavam por toda parte na cena do crime: trabalhavam de segurança particular para os bicheiros; recebiam propina do tráfico de drogas; vendiam fuzis a bandidos e — com as narcomilícias — dominavam favelas para arrancar dinheiro de moradores desprotegidos.

Não significa que os 47 mil policiais militares do Rio formem uma quadrilha armada. A vida de PM honesto é muito difícil. Ele paga pela vida marginal dos colegas. Enfrenta hostilidades de moradores, principalmente nas favelas cariocas, e são caçados por criminosos. A probabilidade de um policial ser assassinado no Rio de Janeiro é oito vezes maior que a de um cidadão comum. Uma pesquisa da Fundação Oswaldo Cruz mostrou que 81% dos policiais se sentem sob "risco constante", desde o momento que saem de casa[1]. Vão para o serviço com a farda escondida no carro. Em caso de assalto, se identificados pelos ladrões, serão mortos mesmo na frente da família. Quando precisam pegar um ônibus, rotineiramente alvos de roubo, o medo só aumenta. O governo pouco fez para controlar a situação da falta de comando, de treinamento e até mesmo de assistência psiquiátrica aos batalhões. Uma tropa assim fica vulnerável ao assédio de bandos criminosos.

Imagine o quadro em São Gonçalo, segundo município mais populoso do Estado, mergulhado na pobreza e na violência do bandido e do policial. A cidade só aparecia na agenda dos governantes em época de eleições, por causa de seus 680 mil votos. As investigações de Patrícia contra a banda podre da PM faziam um tremendo barulho, mas os gabinetes das autoridades tinham o isolamento acústico da omissão. Alguns eram revestidos de cumplicidade. Patrícia bateu muitas vezes à porta, sem que ninguém a ouvisse.

RESERVADO

MINISTÉRIO DA JUSTIÇA
DEPARTAMENTO DE POLÍCIA FEDERAL
DELEGACIA DE POLÍCIA FEDERAL EM NITERÓI/RJ
UNIDADE DE INTELIGÊNCIA POLICIAL

INFORMAÇÃO DE INTELIGÊNCIA ████ 2009-1-UIP/DPF/NRI/RJ

Data: 09 de julho de 2009.

Origem: UIP/DPF/NRI/RJ

Destinatário: Chefe da DPF/NRI/RJ

Comunico a Vossa Senhoria que chegou ao conhecimento desta Unidade de Inteligência Policial-UIP, informação de fonte interna, de que durante monitoramento de interceptações telefônicas realizadas no bojo de operação desenvolvida por esta Delegacia, um dos alvos monitorados, de nome ████████, que se encontra em local incerto e não sabido, foragido em razão de mandado de prisão preventiva expedido em seu desfavor pela 4ª Vara Criminal de São Gonçalo, por suposta prática de homicídio qualificado, em conversa com seu interlocutor, não identificado, no dia 04/07/2009, comentaram sobre a situação do processo de ████████ e sobre a Juíza PATRÍCIA ACIOLE, responsável pela expedição do referido mandado de prisão.

Nessa conversa, segundo a informação, ████████ demonstrou um grande rancor da referida magistrada, afirmando que *"uma bomba iria explodir, em quinze dias, em São Gonçalo e que a 'passoa que bate o martelo' iria 'chorar lágrimas de sangue' e que a ordem já teria sido dada, por ele, sendo que a magistrada ficaria sabendo que teria sido ele o autor do suposto fato."*

Sr. Juiz

Recebi no dia de hoje a visita do Major ████████ que comunicou ter havido por parte do DGSEI uma reavaliação da minha segurança pessoal e, para minha surpresa, não houve a retirada da mesma. Contudo comunicou-me verbalmente o █████ que por decisão do Excelentíssimo Sr. Presidente do Tribunal de Justiça foi retirado um policial de minha segurança que já era em número de três, além da retirada do veículo do Tribunal de Justiça que servia para o transporte dos seguranças, comunicando-me o referido Major que um policial ficaria comigo a cada dia e que este teria que se transportar por meios próprios ou em meu veículo.

Embora esta magistrada não seja especialista em segurança desconhece como isto poderia significar segurança pessoal para qualquer pessoa que supostamente necessitasse dela.

Aguardo a ordem chegar da forma correta, por escrito e por quem tem autoridade para tal, para efetivamente cumpri-la imediatamente.

Assim, encerro o presente renovando a Vossa Excelência votos de estima e cooperação e aguardando a determinação para seu cumprimento.

PATRÍCIA LOURIVAL ACIOLI
JUIZ DE DIREITO.

CAPÍTULO 18.
AS PRIMEIRAS AMEAÇAS, A CORAGEM DA JUÍZA E O DESCASO DO PODER PÚBLICO

As celas superlotadas abrigavam 257 adolescentes, quase o triplo da capacidade. Lá fora, a explosão de fogos anunciava a virada do ano de 1996 para 1997. Nas ruínas do reformatório, escondia--se o fantasma das rebeliões passadas, que em instantes voltaria a perambular pelos corredores. Um grupo de meninos ateou fogo em colchões para que funcionários franqueassem a saída. O plano de fuga deu errado, porque os guardas tardaram a abrir o portão. Sete adolescentes morreram queimados. Apesar da tragédia, o governo do Rio decidiu manter o Instituto Padre Severino em funcionamento. Semanas depois, outro motim provou que a decisão foi um grande erro. Os inspetores pensavam que um dos internos fugira, até descobrirem o corpo boiando na piscina desativada dos fundos[2].

Patrícia bateu pela primeira vez à porta das autoridades. Ela queria interditar o Instituto Padre Severino. Argumentava que "nem um rato" merecia viver naquele cárcere[3], instalado na Ilha do Governador, ao norte da baía de Guanabara. Aos trinta e três anos, juíza desde os vinte e nove, Patrícia dava expediente na 2ª Vara da Infância e Juventude da cidade do Rio. Os mais antigos conheciam o departamento como

"Juizado de Menores", encarregado de punir jovens infratores, mas agora Patrícia dizia que os adolescentes também eram vítimas.

Antes de virar juíza, Patrícia foi defensora pública. Atendia pessoas sem dinheiro para contratar um advogado. Ela ganhou sensibilidade ao escutar os menos favorecidos. Sabia muito bem que rebeliões ocorrem, tantas vezes, motivadas por maus-tratos aos internos do reformatório. E tinha motivos pessoais para se indignar com a tragédia no Padre Severino. Alguns anos antes, adotara três adolescentes enrolados com a Justiça. Não chegava a ser uma adoção oficial, nem precisava de formalidade o afeto entre eles. O choque veio quando dois dos três meninos morreram em confronto com a Polícia Militar. Desde então, a morte violenta de adolescentes soprava a triste recordação, e a truculência da PM marcou Patrícia para sempre.

Ela reagiu contra as mazelas do Padre Severino[4]. Deu prazo de um mês para o governo do Estado reformar o instituto, acabando com a superlotação. Afastou funcionários do reformatório suspeitos de bater nos garotos com um porrete apelidado de "estatuto do menor", referência à lei de 1990, que reuniu normas de proteção a crianças e adolescentes. A dureza de suas decisões contrastava com a aparência de menina de sorriso aberto e cabelos compridos. Seu forte caráter assustava os conservadores do Judiciário, protegidos na comodidade de seus gabinetes. Após a ordem contra o governo do Rio, o Tribunal de Justiça decidiu transferir Patrícia, da Vara de Infância para outra repartição.

Tardiamente, os acontecimentos deram razão à Patrícia. Quinze anos depois, em outubro de 2011, o Conselho Nacional de Justiça recomendou o fechamento do Instituto Padre Severino. Na memória do cárcere, estendiam-se cinco décadas de rebeliões de maus-tratos aos internos e morte de adolescentes, como no réveillon de 1996[5].

* * *

Wilson cuidava de adolescentes infratores em Volta Redonda, cidade do sul fluminense onde nasceu. Patrícia resolveu incentivar o rapaz a cursar uma faculdade de direito no Rio. Mais tarde, os dois começaram a namorar e se casaram. Além de amor, existia profunda admiração. Wilson percebeu algo maior que a experiência na mulher sete anos mais velha. Ela tinha o dom de abrir a mente das pessoas com quem convivia. Agora advogado, Wilson comentava ser uma prova disso.

Primeira filha do casal, Clarinha nasceu em novembro de 1998. A mãe a chamava pelo diminutivo por causa da pele alva e da luz que aquela criatura irradiava em sua vida. O bebê naturalmente abrandou o coração da juíza sempre durona, mas não esmoreceu a sua disposição para trabalhar. No final da licença-maternidade, Patrícia aprumou o espírito para assumir a 4ª Vara Criminal de São Gonçalo. A cidade de 1 milhão de habitantes, banhada por um lado bastante poluído da baía de Guanabara, tinha alto índice de violência e 40% da população na pobreza[6]. Antes, Patrícia deu expediente no município vizinho de Itaboraí, quatro vezes menos populoso e ainda mais pobre, com 60% de seus habitantes na miséria[7]. Na sua carreira, ela já provara não temer desafios, porém São Gonçalo era grande demais, abandonada demais e injustiçada mais vezes ainda.

A 4ª Vara Criminal julgava apenas acusados de homicídio. Era a única repartição da Justiça com a atribuição em São Gonçalo, cidade em número de habitantes menor apenas que a capital, Rio. Entre os réus, havia dezenas de policiais militares denunciados por assassinato. É um complicador a mais para qualquer juiz, quando agentes da lei se tornam descumpridores dela.

Patrícia não tinha o poder de condenar diretamente. Pela legislação brasileira, a tarefa fica terceirizada aos jurados, sete a cada julgamento, escolhidos entre os moradores da cidade onde ocorreu o crime. Em cadeiras pouco confortáveis, os jurados ouvem pacientemente o promotor de Justiça pedir a punição pelo artigo 121 do Código Penal: "matar alguém: pena — reclusão de seis a vinte anos". O advogado da defesa clama pela inocência, em alguns momentos aos gritos, pois o embate é também teatral. Busca-se ali não apenas a razão, mas o convencimento emocional. Seguem a réplica e a tréplica. A depender do caso, a sessão se estende pela madrugada ou por mais de um dia. Incomunicáveis com o mundo externo do início ao final do processo, os jurados respondem a um questionário sobre as circunstâncias do homicídio. São perguntas do tipo: "o réu assumiu o risco de matar?", "os tiros provocaram a morte?". Entre um "sim" e um "não", decidem se o réu é culpado ou inocente.

Se houvesse condenação, caberia à Patrícia aplicar o tempo de prisão, conforme prevê o Código Penal. Não significa que ela ocupava papel secundário. Patrícia excluíra a passividade desde os tempos da Vara da Infância e Juventude, ao se deparar com a carnificina no Instituto Padre Severino. Wilson lembra que a mulher procurava orientar bem os jurados na sala reservada, onde todos se reuniam quando fora do plenário. Ela dizia: "Eu não moro em São Gonçalo, minha família não vive aqui. São vocês que decidirão se querem manter a violência nesta cidade". A votação do júri atingia com muita frequência o placar de sete a zero, ou seis a um, pela condenação.

Às vezes, Patrícia trocava o gabinete refrigerado pelas ruas calorentas de São Gonçalo. Dá a impressão de que o bafo do concreto sufocou todas as árvores frondosas da cidade. Na saída do Fórum, o mau cheiro começa nas lixeiras da calçada em frente. A juíza saía às ruas numa atitude incomum entre os colegas de magistratura. Ela assistia à reconstituição dos crimes, que é a simulação que a polícia faz para descrever como aconteceu o assassinato. Um trabalho defeituoso nessa etapa já favorece a impunidade, e ela é regra, não exceção, no Rio de Janeiro. Em 95% das investigações, os suspeitos de homicídio nem sequer chegam ao banco dos réus.

Juntamente com a Promotoria de Justiça, Patrícia impediu o arquivamento de, ao menos, 2 mil casos de assassinatos. Boa parte correspondia aos autos de resistência, como eram registradas na delegacia as mortes em suposto confronto com a PM. Suposto porque, inúmeras vezes, policiais atiram em inocentes, "plantam" uma arma na mão da vítima e, se possível, jogam um punhado de droga ao lado do corpo. Alteram a cena do homicídio para inventar que "o bandido" reagiu à prisão. Essa artimanha torna mais importante a reconstituição do crime. Ao definir a trajetória da bala, por exemplo, os investigadores podem derrubar uma versão mentirosa da PM.

Não dava, porém, para generalizar as fraudes. Em favelas e bairros violentos da cidade, traficantes andam armados com fuzil, metralhadora, granada e pistola adaptada para vomitar rajadas de bala. Como numa guerra, muitas vezes o policial precisa abrir fogo para sobreviver. Patrícia não queria cometer injustiças. "Matou? Me liga que eu saio do gabinete e vou ao local verificar se, de fato, foi legítima defesa", dizia ela aos oficiais, sargentos e soldados do batalhão de São Gonçalo. Na rotina do Judiciário fluminense, não havia até ali notícia de juíza que procedesse assim. Os colegas de profissão estranhavam. Criminosos ficavam incrédulos. Certa vez, Patrícia deu voz de prisão a um homenzarrão de 1,90 metro, suspeito de abusar da enteada. As algemas mal entravam nos pulsos grossos. Ele demorou a entender que a mulher baixinha, esmurrando a mesa para ser ouvida, tinha o poder de mandar prendê-lo.

As primeiras ameaças de morte logo começaram. Patrícia manteve-se calma num raciocínio frio, e quantas vezes equivocado, entre as vítimas de homicídio: "Assassinos não mandam recado antes de agir". Uma nova gravidez despertou maior cautela. Em junho de 2001, ela entrou de licença-maternidade para ter Duda. A caçula e a irmã Clarinha trariam no rosto o sorriso copiado da mãe. Estava em jogo a felicidade das meninas. Chegara o momento de andar com seguranças.

Quando voltou ao trabalho, ela se assustou para valer com uma ameaça de morte que partiu, supostamente, do ex-agente penitenciário W. O homem que trabalhara na segurança de presídios fora condenado a setenta e sete anos de cadeia por três homicídios. A ficha criminal dele tanto impressionava quanto despertava temor.

Patrícia pediu ao gabinete militar do Tribunal de Justiça uma escolta armada. Para a sua surpresa, quem veio ao seu socorro foi um major do qual ela desconfiava. Havia até enviado uma carta ao Tribunal sobre a suspeita. Relatara que o major fazia visitas a um sargento acusado de assassinatos e extorsões, preso por ordem dela no Batalhão da PM em São Gonçalo. Achou que, ao saber do caso, o Tribunal afastaria o major do setor de segurança dos juízes, mas ele continuava lá e ainda havia um agravante. Sem motivo que justificasse, o major assistira ao julgamento do ex-agente penitenciário W., que estaria por trás da ameaça de morte. Patrícia desconfiou de ligação entre os dois.

Ela não podia confiar a vida a alguém suspeito. Desiludida, solicitou guarda-costas diretamente ao Comando da Polícia Militar, dispensando a intermediação do Tribunal de Justiça. Não deixaria, porém, o episódio passar em branco. Como era de seu feitio, ela procurou a Corregedoria da PM para expor a situação e reclamar da conduta do major[8]. O caso ficaria sepultado em alguma gaveta.

*   *   *

O divórcio veio em 2005, sem ressentimentos ou mágoas. Filho do primeiro casamento de Wilson, Mike Douglas, de catorze anos, morava desde pequeno com Patrícia e decidiu continuar ao lado dela, a quem chamava de mãe. Mike, Clarinha e Duda sempre se deram bem. A separação nada mudou entre eles. Ficou mantido até mesmo o calendário anual de festas em família. Começava com o aniversário de Patrícia, em fevereiro. Seguiam o de Wilson e o de Mike, no intervalo de dois dias em maio. Duda assoprava as velinhas em junho. Clarinha, em novembro. Finalmente, as celebrações do Natal e Ano-Novo chegavam a reunir setenta convidados, a maioria parentes e, inevitavelmente, alguns guarda-costas.

O cabo Frank era o segurança mais próximo da família. Na tarde de terça-feira, 17 de outubro de 2006, ele recebeu uma ameaça de morte pelo celular. Alguém no orelhão da estação das barcas em Niterói, perto de uma cabine da PM, dizia: "Vamos matar você, a juíza e mais quem estiver junto. Não adianta ser polícia e nem ter outros seguranças". A fim de provar que falava sério, o sujeito descreveu as roupas que Frank e Patrícia vestiam naquele dia[9].

Como duvidar do recado, se naquele momento, o Rio de Janeiro estava conflagrado? As milícias se fortaleciam no vácuo do poder público e na expectativa de que o governador eleito Sérgio Cabral não as combatesse[10]. Em início de carreira, o delegado Alexandre Capote ainda não assustava o crime organizado. Noutro flanco, os chefões da máfia dos jogos planejavam o revide contra uma investigação da polícia que levaria o contraventor Barão à prisão. O ano de 2006 terminaria com ataques simultâneos de narcotraficantes pela cidade, principalmente a delegacias e cabines da PM. A ação partira do Comando Vermelho, de Beira-Mar, numa inédita parceria com facções rivais. Dezoito pessoas morreram, sete queimadas dentro de um ônibus incendiado por um bando de quinze criminosos na avenida Brasil[11].

Aos seis anos, Clarinha tinha os sintomas da síndrome do pânico. O movimento de guarda-costas armados em volta da mãe a perturbava. Duda, de quatro anos, sentia menos a pressão. Mike Douglas compreendia melhor a situação, sem qualquer intimidação. Fermentava a ideia de virar advogado para seguir os passos da mãe juíza. Nessa época, três policiais militares faziam a escolta da família. Apesar do tormento de Clarinha, Patrícia solicitou ao Tribunal de Justiça mais um segurança, de preferência quem já tivesse trabalhado em sua escolta, alguém que os filhos não estranhassem muito. Sugeriu um policial do 7º Batalhão de São Gonçalo[12].

Cinco meses depois, sem obter uma resposta, Patrícia mandou uma carta ao Tribunal de Justiça. Relatava a visita do major, novo diretor de segurança dos juízes. O oficial trouxera má notícia. Em vez de aumentar, o Tribunal reduziria de três para dois o número de guarda-costas. E tinha mais. O carro oficial seria retirado dos policiais.

Eles que usassem o próprio veículo ou o particular de Patrícia. Na carta ao Tribunal, ela escreveu que não entendia o tratamento. Queria saber o resultado das investigações sobre as ameaças que recebera. Exigia uma resposta por escrito: "Entendo que a questão envolvendo minha vida é algo muito importante"[13].

Patrícia andava com uma pistola calibre quarenta. Apesar de míope, mostrava precisão no estande de tiro. "Bem melhor do que eu, bem melhor", repetia Wilson, admirado. Sempre que podia, ele ajudava na segurança da ex-mulher. Dirigia o carro ou seguia logo atrás no caminho do Fórum para a casa dela. Patrícia acautelara em seu nome algumas armas apreendidas pela Polícia Civil. As cinco pistolas e a metralhadora ficaram no armário à disposição dos guarda-costas. Sobrava armamento, faltavam seguranças.

A trama para assassinar Patrícia chegou ao conhecimento dos atendentes do Disque Denúncia. Protegidas pelo anonimato, muitas pessoas relatam o que sabem ao serviço, que é mantido pela Secretaria de Segurança Pública, em parceria com a sociedade civil[14]. O plano para matar a juíza envolveria presidiários e policiais corruptos. O Tribunal de Justiça abriu uma investigação que parecia capenga. Consistia em ouvir os próprios suspeitos. Um oficial da PM perguntava: "Você pretende matar a juíza?", o acusado, obviamente negava. Em março de 2009, o então presidente do Tribunal de Justiça mandou arquivar o caso: "Não vislumbrava a necessidade de qualquer medida de segurança extraordinária"[15] para Patrícia.

Mike notou uma mudança na mãe, que "se apegou muito à leitura religiosa, em busca de um plano metafísico, um ritual de passagem". O filho encontrou uma explicação. Patrícia "via tanta maldade que precisava se espiritualizar, cuidar-se mentalmente, porque o físico já seguia no automático. Só não queria se tornar uma máquina de tomar decisões no Tribunal". Patrícia conversava o máximo que podia com a família. "Falava que tinha uma missão a ser cumprida", contaria Mike, tempos depois. Cogitou deixar a 4ª Vara Criminal, mas ao final recuou: "Quem fará o que faço?". A dedicação nunca afrouxava. Nos fins de semana, nos raros momentos em que a família almoçava fora, o telefone tocava, e, mais uma vez, a mãe dava lugar à juíza. Alguma testemunha de crime, geralmente ameaçada, precisava de apoio. Pelo telefone, Patrícia dividia a angústia.

Alguns meses após o Tribunal negar reforço na segurança, um delegado federal enviou à Patrícia o misterioso envelope lacrado. A mensagem reservada dizia que um operador do jogo do bicho, conhecido como Andinho Bicheiro, caíra em uma escuta telefônica da Polícia Federal, na qual mencionava em tom de ameaça o nome da juíza. Ela decretara a prisão de Andinho Bicheiro pelo assassinato de um integrante da própria quadrilha, morto por desviar parte dos 6 mil reais da propina paga mensalmente a uma delegacia da Polícia Civil[16]. Com o dinheiro no bolso, os policiais podiam tropeçar nas bancas do jogo que nada fariam.

Andinho Bicheiro estava foragido da Justiça. No telefonema captado pela Polícia Federal, ele demonstrava rancor: "Uma bomba vai explodir em quinze dias, em São Gonçalo, e a pessoa que bate o martelo irá chorar lágrimas de sangue. A ordem já foi dada". No imaginário de muitos criminosos, talvez por influência do cinema norte-americano, o juiz profere a sentença com uma martelada na mesa. Nada a ver com a realidade brasileira. Alguns dias depois, numa segunda ligação, Andinho Bicheiro disse que sua vingança seria apenas uma representação na Corregedoria de Justiça contra a magistrada, mas os investigadores suspeitaram que ele agora soubesse do grampo no telefone. Tentava dissimular a real intenção de matar a juíza[17].

Em meio a tantas ameaças, à falta de guarda-costas e ao temor pela família, Patrícia não se intimidava nos processos judiciais contra bicheiros, milicianos e policiais corruptos. No caso de Andinho Bicheiro, ela julgou admissível a denúncia do Ministério Público contra ele e o mandou para o banco dos réus[18].

Nas folgas da 4ª Vara Criminal, Patrícia visitava bairros carentes de São Gonçalo. Tomava café em caneco, para admiração de quem oferecia a bebida, mas não tinha xícara para servir. Ouvia apelos e se comprometia a conseguir empregos, uma bolsa de estudo, remédio ou roupa que servisse. Também distribuía cestas básicas em comunidades pobres, entre elas a Fazenda dos Mineiros, uma favela que surgiu do loteamento de uma antiga propriedade rural, localizada não muito distante do centro de São Gonçalo.

GOVERNO DE ESTADO DO RIO DE JANEIRO
Secretaria de Estado de Segurança
Polícia Civil do Estado do Rio de Janeiro
72ª DELEGACIA POLICIAL – SÃO GONÇALO

São Gonçalo, 18 de Maio de 2010.

████████ 2010 – 121 CP
Nome e cargo da Autoridade: ████████
Nome do Escrivão: "ad-hoc" Inspetor ████████ matrícula ████

TERMO DE DECLARAÇÕES

Nome: R C C S
Qualidade: TESTEMUNHA
Nacionalidade: **Naturalidade:**
Sexo: **Idade:**

INQUIRIDO (a), DISSE que comparece a esta Unidade Policial em atendimento à intimação e inquirida acerca das circunstâncias que envolveram a morte de ████████, disse que era sua amiga de infância e que eram vizinhas; que no dia do fato, noite de sábado por volta das 21:30h, enquanto encontrava-se sentada ao seu portão em companhia de sua filha menor de quatro anos, viu a aproximação pela rua onde reside de duas viaturas novas, modelo BLAZER, ambas da Polícia Militar; que as viaturas formavam uma guarnição de dez homens; que os dois motoristas permaneceram nas viaturas próximo a ponte, enquanto que os oito policiais restantes fizeram incursão atravessando essa ponte se dirigindo para o Beco da Baiuca que existe naquele local; que os policiais não chegaram a abordar ninguém em momento algum e pôde ouvir nitidamente um deles dizer IPSIS LITERIS *"não tem arrego então tem bala..."*; que a declarante soube por populares que uma Blazer preta composta por policiais à paisana estiveram no local horas antes, no mesmo dia, e lá, receberam o chamado 'arrego' e que tal ação teria provocado a fúria dos policiais militares que ali entraram naquela noite; que é notório na comunidade que esses PMs sistematicamente vão à comunidade para receber propina em troca da não interferência no movimento de venda de drogas; que não são raras as incursões efetuadas por esses

CAPÍTULO 19.
POLICIAIS ATIRAM A ESMO EM FAVELA: "NÃO TEM ARREGO, ENTÃO TEM BALA"

Os bares na Fazenda dos Mineiros estavam agitados sábado à noite, véspera do Dia das Mães. Ouvia-se de longe o som confuso de vozes que o vento trazia junto com o hálito do lixão. Durante catorze de seus quarenta e seis anos de vida, a catadora Rosa sentiu aquele cheiro bem de perto, garimpando latinhas, garrafas, papelão, tudo o que a fábrica de reciclagem comprasse. Agora, havia se empregado como diarista, o que a deixava mais feliz, não fosse o fato de a filha continuar catadora de lixo. Val, de vinte e um anos, herdara a profissão na adolescência. Parou de estudar na quarta série do ensino fundamental e também se tornou mãe[19]. Muitas vezes, ela faltava ao serviço para cuidar do filho de colo. Quando não, ganhava entre 100 e 200 reais por semana.

Catar lixo castigava as mãos de Val sem lhe tirar a vaidade. Na tarde de sábado, avaliou que as unhas mereciam esmalte e foi pintá-las na casa da irmã. A caminho de lá, percebeu que os barezinhos da favela já reuniam muitos fregueses, sentados em volta de pequenas mesinhas ou acotovelados no *freezer* que servia de balcão. No Bar da Jo, aberto diariamente das 8 horas da manhã às 11 da noite, quando o último ônibus passava pela região, havia preparativos na cozinha para "uma festinha" no Dia das Mães.

Passava das 21 horas. Já de unhas pintadas, Val foi comprar um empadão no Bar do Miguel, boteco na entrada do Beco da Baiuca, canto tomado pelo lixo e mato. Ela e a amiga de infância atravessaram a ponte de madeira sobre o valão, canal estreito de água e esgoto que corre sinuoso entre os barracos da favela e os manguezais[20]. As pernas de Val doíam, talvez fosse cãibra. Subira e descera o lixão muitas vezes nos últimos dias. Resolveu esperar, enquanto a amiga prestativa comprava o salgado. A colega se distanciou na escuridão.

Próximas dali, duas caminhonetes da PM estacionaram sem despertar maior atenção. Os motoristas ficaram ao volante. Oito policiais desceram dos veículos em direção à ponte do valão. A missão ali não era prender bandidos, mas receber propina, chamada de arrego, segundo acusaria depois a Promotoria de Justiça[21]. "De novo?", estranhou o traficante. "Como assim, porra?", quis saber o policial. Outra equipe da polícia apanhara o dinheiro mais cedo. "Como é que é?", perguntou o PM.

Quando entravam na Fazenda dos Mineiros e nas demais favelas de São Gonçalo, os policiais chamavam uns aos outros apenas de "Zé". Não pronunciar o verdadeiro nome dificultava a identificação deles por testemunhas de abusos, que aconteciam com frequência[22]. Além disso, à noite, vestidos com farda azul, boinas e coletes escuros, eles realmente pareciam todos iguais, exceto pela patente, que poucos moradores distinguiam. Não se sabe, então, qual policial gritou após a negativa de propina: "Não tem arrego, então tem bala".

* * *

Por volta das 21h30, começaram os tiros que já não surpreendiam tanto na favela dominada por traficantes. Chamou mais atenção o que se ouviu antes: "Não tem arrego, então tem bala". Quando os moradores tiveram coragem de sair à rua, algum vizinho explicava o que acontecera: uma turma de corruptos da PM viera receber "a mesada" do tráfico, mas outra mais ligeira a recolhera primeiro[23]. Bastante irritados, os retardatários abriram fogo a esmo.

Pronta para dormir, Rosa nem saiu à calçada. Minutos depois, um homem bateu palmas com força em frente ao portão: "A sua filha está morta. A sua filha está morta". Só podia ser coisa de bêbado saindo do bar. "Não é isso, não. Eu vi. Até pulei o corpo. A menina vinha na minha frente. Aí começou o tiroteio", insistiu o rapaz, apontando um lugar na escuridão. Agora preocupada, Rosa correu uns 200 metros até ser parada na barreira da PM antes da ponte do valão. Gritava desesperada pela filha[21]. Fingindo solidariedade, um dos policiais mentiu que também havia colegas feridos. Oito carros da polícia com giroflex ligado projetavam luzes vermelhas e azuis na noite escura. A agitação deixou Rosa confusa. Ela sentiu vertigens e desmaiou.

Um homem de pele branca e avermelhada, aparência que destoava na roda de curiosos, tentou furar o bloqueio da PM. Era o marido de Rosa, a mulher agora amparada nos braços de uma vizinha. Os policiais militares olharam com curiosidade para o sujeito estranho, hesitaram um pouco, mas ao fim também não o deixaram passar.

— Eu sou padrasto da menina. Queria ver.

— O senhor se acalme, que ela vai ser socorrida — respondeu um soldado.

— Ela é trabalhadora.

— Se é trabalhadora, o que estava fazendo aqui? — perguntou o PM.

O marido de Rosa não sabia que naquele local, onde a enteada caíra, os bandidos vendiam drogas. Parecia-lhe que os moradores honestos viviam sob o cerco de traficantes, e eles estavam por toda parte, não só ali.

Após quarenta minutos, uma ambulância do Corpo de Bombeiros estacionou antes do valão. A ponte estreita certamente não suportaria o peso da van, talvez a largura nem permitisse a passagem. Com uma prancha de madeira, os bombeiros atravessaram a pinguela, caminharam até o beco logo à frente e encontraram uma jovem de bruços. Resolveram levá-la ao hospital. Quando a enteada passou daquele jeito à sua frente, o marido de Rosa duvidou que ela estivesse viva, mas os policiais insistiam que sim.

Já na madrugada de domingo, Dia das Mães, ele conseguiu um carro emprestado do vizinho. Partiu com a mulher para o Pronto-Socorro de São Gonçalo. Na porta do hospital, Rosa desmaiou novamente. O marido entrou sozinho. Falou com um guarda, seguiu na direção indicada e encontrou Val sobre uma maca no corredor. Não havia médicos nem enfermeiras nas proximidades. Ela vestia bermuda e uma camiseta que deixava ver a barriga. Em seu corpo, notavam-se arranhões, como se ela tivesse sido arrastada pela rua de terra e pedregulhos[25].

O legista de plantão não descobriu o calibre da bala. Atestou que o projétil entrou no olho direito e saiu pela bochecha esquerda. Seu impacto causou fraturas lineares na testa e também na base do crânio (atrás dos olhos), região do cérebro que controla o coração e a pressão sanguínea. Se estivesse de frente, caminhando normalmente, a bala dificilmente atingiria seu rosto naquela trajetória descrita, a não ser que ela corresse de cabeça baixa, curvada e se protegendo de tiros. No laudo que escreveu, em 9 de maio de 2010, dia seguinte ao assassinato, o médico anotou na parte reservada à identificação da vítima: "Nome ignorado"[26]. V. S. G. [Val]nunca tirara a carteira de identidade.

* * *

A mãe R. S. [Rosa] tem a pele morena, olhos empapuçados, ar de cansada, cabelos cheios e negros, com fios esbranquiçados na raiz. Seus lábios grossos arqueados para baixo dão a impressão de que é pesado sorrir. Dois dias após o assassinato da filha, ela repetiu em depoimento à Polícia Civil praticamente o mesmo relato de seus vizinhos: os policiais militares atiraram a esmo, não houve confronto deles com bandidos da comunidade.

A dona do Bar da Jo disse que, naquela noite, não havia grande movimento de venda de drogas na Fazenda dos Mineiros. Ela garantia isso porque os meninos do tráfico não soltaram fogos de artifício, como sempre faziam, para avisar a "boca de fumo" sobre a presença da polícia. Outra testemunha contou que, sentada no portão de casa com a filha de quatro anos, presenciou as caminhonetes da PM chegarem à favela, sem que os soldados do tráfico atacassem.

Após o depoimento na delegacia, Rosa ficou entre a cruz e a espada, precisamente, entre os policiais corruptos e os violentos traficantes. Pediram que ela mesma entregasse os mandados de intimação a cinco moradores da Fazenda dos Mineiros que poderiam colaborar na investigação. Os agentes da Polícia Civil não entravam na favela com medo dos bandidos. Assim, eles deixaram para a mãe da vítima a perigosa tarefa de convocar as testemunhas. Os mandados que ela trazia na bolsa desagradariam tanto os suspeitos de receber propina, envolvidos no assassinato, como os traficantes que pagavam o arrego. Desiludida e assustada, Rosa não quis mais falar sobre o caso: "Não vai trazer a minha filha de volta".

* * *

A história de Val representa tudo o que Patrícia combatia em São Gonçalo: a cobrança de propina por policiais e o assassinato de inocentes sob o manto da legítima defesa. Na delegacia da Polícia Civil, os sete policiais militares suspeitos alegaram que reagiram ao ataque de homens do Comando Vermelho, a facção do traficante Fernandinho Beira-Mar, que domina a Fazenda dos Mineiros.

Os policiais contaram que faziam patrulhamento pelo Beco da Baiuca, "quando foram recebidos a tiros por vários elementos e revidaram a injusta agressão". Após o cessar-fogo, encontraram Val no chão ainda com vida e chamaram o Corpo de Bombeiros. Bravamente, perseguiram os bandidos pela comunidade. Não prenderam ninguém, mas acharam

121 trouxinhas de maconha, 424 pacotinhos de cocaína e 14 cápsulas de munição calibre ponto quarenta e cinco, supostamente disparadas pelos traficantes. O plantonista sonolento na delegacia registrou o caso como: "Lesão corporal provocada por projétil de arma de fogo"[27].

No ano de 2010, a polícia matou 855 pessoas no Estado do Rio de Janeiro. A Secretaria de Segurança etiquetou os homicídios com o selo "autos de resistência". Tempos depois, trocaria o nome para mortes "decorrentes de oposição à intervenção policial". A mudança burocrática não impediu que os casos continuassem em arquivos empoeirados, sem a devida investigação. O mês mais sangrento em 2010 foi maio, quando Val e outras 108 pessoas morreram em ações da Polícia Militar.

As estatísticas mostram que a PM do Rio leva uma enorme vantagem sobre seus opositores nas favelas e áreas conflagradas. Quinze policiais morreram em serviço durante 2010. Não é pouco, em se tratando de vidas, mas ínfimo se comparado com as oito centenas de baixas do outro lado[28]. Patrícia desconfiava de que a matança era obra de verdadeiros grupos de extermínio.

As farsas mais contundentes "nos autos de resistência" apareceram em 2008. O promotor de Justiça que atuava havia sete anos na 4ª Vara Criminal, comandada por Patrícia, e a quem cabia denunciar os acusados de assassinato começou a analisar os volumes empilhados nos armários do Ministério Público e da Polícia Civil. Cada pilha de papel representava uma ou mais mortes impunes. O promotor ficou impressionado ao constatar que 10% dos 650 policiais do 7º Batalhão da PM, sediado em São Gonçalo, participaram de operações que terminaram em homicídio dos supostos criminosos[29].

Após reler depoimentos, conferir laudos de peritos criminais e analisar caso a caso, o promotor encontrou indícios de outra prática estarrecedora. Com frequência, policiais militares "plantavam" armas e drogas no local do homicídio para incriminar a vítima. Tudo na cena do crime era remexido a fim de dificultar a investigação da Polícia Civil, até o corpo. Antes de os investigadores chegarem, os policiais militares enviavam aos hospitais pessoas já mortas com a desculpa de que socorriam feridos. Não se tratava da ação de grupos de extermínio que o Brasil conheceu na década de 1980, quando justiceiros matavam supostos bandidos. O policial de hoje assassinava de propósito, por maldade ou por acidente durante o achaque contra o tráfico.

Patrícia mandou um aviso ao 7º Batalhão da PM: quem autorizasse remoção de corpos do local do crime seria preso, fosse oficial graduado, sargento ou soldado. Ela passou a decretar a prisão de policiais envolvidos com os "autos de resistência". Antes disso, o PM prestava depoimento na delegacia e saía livre pela porta da frente. Patrícia ainda meteu a mão em outro vespeiro. Abriu investigação sobre os sequestros de traficantes feitos por policiais. A família ou quadrilha do refém precisava pagar resgate para que ele não morresse. A juíza despertou definitivamente o ódio na banda dos corruptos.

* * *

Um ano e nove meses após a morte de Val, em fevereiro de 2012, a Prefeitura de São Gonçalo fechou o lixão na Fazenda dos Mineiros, alegando riscos ao meio ambiente. Havia o temor de contaminação de mananciais localizados nas imediações. Durante três décadas, toneladas e toneladas de lixo foram enterradas no local até formarem um morro. Ao pé dele, famílias construíram barracos para morar próximo ao lixão, onde garimpavam o que a indústria da reciclagem aceitasse. Algumas manchas de vegetação resistiram à expansão do morro de lixo e à urbanização forçada. À direita, manteve-se preservada a Serra de Itaúna que, há milhões de anos, abrigou um vulcão, segundo dizem pesquisadores. À frente e a perder de vista, fica a baía de Guanabara, retratada nos cartões-postais do Rio, mas pouco conhecida daquele ângulo miserável.

Restou no topo do lixão um monumento à terra arrasada. O cercado de paus fincados no chão e de rede plástica tem uns dez metros de comprimento, por quatro de largura, com uma placa assustadora: "Cuidado, lixo infectante". Ao lado, alguém dependurou dois bichos de pelúcia grandes — o gato Frajola e o cachorro Pluto — sujos de poeira e inchados pela água das chuvas. Talvez a ideia do "artista" fosse usá-los como espantalhos aos urubus, mas a decoração certamente resultou atraente à curiosidade infantil[30].

* * *

Perto dali dezenas de crianças brincam às margens de valas onde escorre o chorume, líquido negro e fétido produzido na decomposição do lixo. O processo de decomposição também libera metano. Tubulações que partem das entranhas do morro até a superfície permitem que o gás escape, pois, acumulado, pode provocar explosões. Os moradores locais sempre extraíram tudo o que podiam do lixão. Agora com ele desativado, usavam a boca das tubulações como fogão para cozinhar, já que o metano é inflamável. O mau cheiro não inibe o apetite durante o preparo do almoço.

As moscas incomodam mais do que o fedor, mas as crianças se acostumaram ao zumbido e às nuvens de asas pegajosas que rodeiam rostinhos sujos e cabelos embaraçados. É uma resignação bastante perigosa. Aos nove anos, Luc apareceu com um calombo no couro cabeludo. Nos dias seguintes, o inchaço só aumentou de tamanho. Os pais do menino pouco se importaram, mas os professores da escolinha instalada na favela decidiram levar o aluno ao médico. O doutor não teve muita dificuldade para descobrir setenta e dois ovos de moscas na cabeça do garoto.

As famílias de catadores de lixo moram em casebres feitos com pedaços de madeira, cobertos ou remendados com papelão e placas de alumínio ou de ferro. As casas de janelas tortas têm pouco mais de dois metros de altura. Dentro, o piso de terra batida é descontínuo por causa de pequenos buracos. Em muitos lares, a mobília se resume a uma cama de solteiro, sem colchão. Cozinha-se, além de em fogões improvisados nas tubulações do lixão, em fogueiras no pequeno quintal tomado pela lama, pelo mato e mais moscas. Dentro dos panelões, costuma borbulhar um caldo de cor escura, semelhante ao de feijão. O que vai emergir do cozido pode embrulhar o estômago mais tolerante. Engajado na assistência aos moradores, um pastor evangélico conta que já foram parar na panela pedaços de carne humana encontrados no lixão; eram possivelmente descartes de alguma cirurgia hospitalar ou da "desova" de corpos por bandidos.

Tudo isso a quarenta quilômetros de distância do Rio e na segunda cidade mais populosa do Estado.

É muita miséria associada ao lixão, e, mesmo assim, o seu fechamento foi como a falência de uma fábrica para os moradores. Cerca de 580 deles tiravam o sustento das latinhas, garrafas e papelão que catavam. Pelo menos duas gerações sobreviveram daquela forma de garimpo, uma foi a de Rosa, a outra de sua filha, Val, assassinada. Com as atividades paralisadas, menos da metade conseguiu a ajuda de 200 reais por mês, valor pago pela empresa que assumiu a responsabilidade pelo novo depósito de lixo, a vinte quilômetros do morro, numa área cercada e vigiada; portanto, inacessível.

Também não se sabia o futuro dos porcos criados na favela. Dezenas deles metiam o focinho no lixão para conseguir comida. Agora se espalham pelas ruas. Enfiam-se na lama dos quintais. Há um chiqueiro muito bem construído ao pé do morro, com galpão e corredores de madeira que poderiam juntar os animais espalhados pela comunidade. A estrutura, entretanto, é área privativa dos traficantes de drogas que vendem suínos para o comércio livre de São Gonçalo. Após o fim do lixão, os criminosos ordenaram que pelo menos um caminhão continuasse a despejar entulhos no local para o banquete dos porcos.

O chefe do tráfico costuma circular na garupa de uma moto no topo do antigo lixão, onde o sinal do celular pega melhor devido à altura. Ao telefone negocia drogas, cita valores quase aos gritos, enquanto seu segurança pilota a motocicleta. Leva uma mão ao guidão e a outra à pistola.

Há também moradores andando a cavalo — um dos últimos vestígios da época em que a região era ocupada por latifúndios, mais tarde divididos e transformados em loteamentos. Mesmo depois disso, ainda restou no lugar um aspecto de vida rural, e a Serra de Itaúna atraía turistas e esportistas, praticantes de parapente. A paz foi quebrada depois que traficantes de drogas tomaram conta da região. A mata passou a ser esconderijo de bandidos, que afugentaram os visitantes de lá, a fim de estabelecer pontos de vigília contra a Polícia Militar.

A Fazenda dos Mineiros fica a meia hora de carro do Rio de Janeiro, seguindo-se a mesma estrada que leva às turísticas praias da Região dos Lagos. Após a ponte Rio-Niterói, de treze quilômetros, a rodovia federal BR-101 estende seu asfalto. Quinze quilômetros à frente, à esquerda, surge a Estrada das Palmeiras, que sobe em direção à Serra de Itaúna. Mais adiante, há uma curva à direita, e entra-se na rua de terra, cheia de poças de lama, chamada Rosendo Marco. É a porta de entrada para a favela.

Para chegar ao lixão, vira-se duas quadras depois à esquerda, na rua Ângelo Gomes Avelar. A partir daí, entra-se definitivamente no território do tráfico. Os visitantes precisam se submeter às regras dos criminosos, o que inclui ligar o pisca-alerta do carro e reduzir bastante a velocidade. Moradores varrendo a calçada não respondem a um eventual bom-dia de forasteiros. Temem que sejam policiais, e cumprimentar a polícia irritaria os traficantes.

Alguns metros à frente, jovens recém-saídos da adolescência, ou ainda com os ímpetos dela, se agacham empunhando escopetas e fuzis. Eles fazem mira no carro, enquanto o motorista ao volante, com todas as janelas abertas do veículo, estende para fora o braço esquerdo e faz sinais agitadamente. A cada metro que ganha, mais o motorista gesticula na esperança de ser reconhecido. Ele também espera que "os meninos" não estejam sob o efeito de drogas a ponto de verem fantasmas. Finalmente, o grupo abandona a posição de tiro. O carro passa em frente aos rapazes armados. Um deles pede desculpas ao pastor evangélico, o que ajuda moradores da comunidade e estava ao volante. "Não reconhecemos que era o senhor", disse o soldado do tráfico.

No começo da rua Ângelo Gomes Avelar, aparecem as casas bem cuidadas de varandas e muros pintados. O aspecto muda radicalmente a partir do ponto em que os traficantes mantêm a vigilância armada. Assim que se cruza a barreira, surgem os barracos tortos feitos com pedaços de madeira, os quintais tomados pelo lixo e mato, os porcos banhando-se na lama e as moscas impertinentes. Fica a impressão de que os soldados do tráfico vigiam um território abandonado pelo Estado há muito tempo. E ali, quando a polícia fura o bloqueio dos criminosos, não vem para libertar moradores das garras de bandidos, mas apenas para acrescentar pavor à miséria, como o assassinato de Val, uma anônima catadora de lixo.

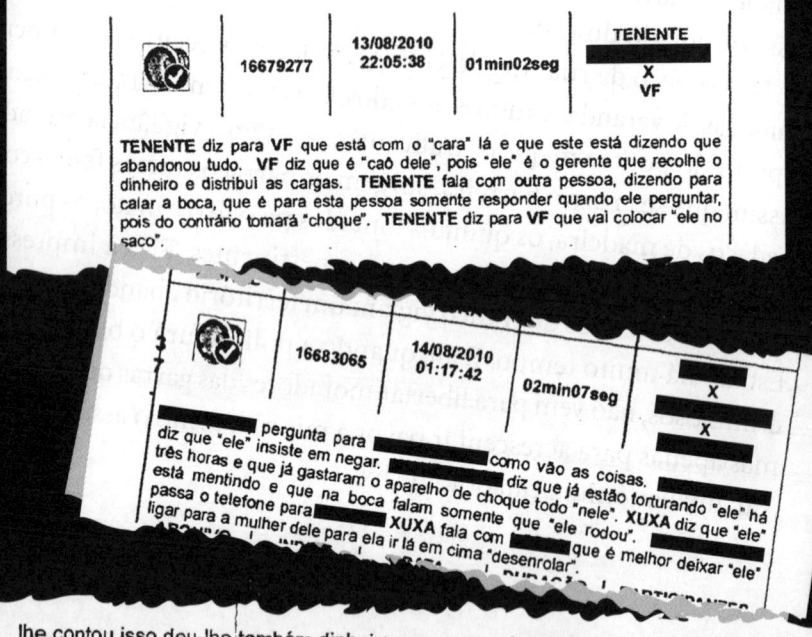

| | 16679277 | 13/08/2010 22:05:38 | 01min02seg | TENENTE X VF |

TENENTE diz para **VF** que está com o "cara" lá e que este está dizendo que abandonou tudo. **VF** diz que é "caô dele", pois "ele" é o gerente que recolhe o dinheiro e distribui as cargas. **TENENTE** fala com outra pessoa, dizendo para calar a boca, que é para esta pessoa somente responder quando ele perguntar, pois do contrário tomará "choque". **TENENTE** diz para **VF** que vai colocar "ele no saco".

| | 16683065 | 14/08/2010 01:17:42 | 02min07seg | X X |

diz que "ele" insiste em negar. pergunta para como vão as coisas. três horas e que já gastaram o aparelho de choque todo "nele". diz que já estão torturando "ele" há está mentindo e que na boca falam somente que "ele rodou". XUXA diz que "ele" passa o telefone para XUXA fala com que é melhor deixar "ele" ligar para a mulher dele para ela ir lá em cima "desenrolar"

lhe contou isso deu-lhe também dinheiro para que a depoente fosse comprar drogas e apurasse onde estava o BODINHO; que a depoente "prendeu" o dinheiro de ▮▮▮▮, mas não foi, tendo dito ao mesmo que foi; que no dia seguinte a depoente soube que BODINHO tinha morrido e que os autores da morte foram ▮▮▮▮ e GORDINHO; que quando ▮▮▮▮ estava matando BODINHO, juntamente com GORDINHO, ligaram para a depoente para o número do celular da mãe da depoente que seria ▮▮▮▮ sendo que a depoente ouvia eles torturando BODINHO que ficava gemendo; que deram choques em BODINHO e encostaram colher quente no mesmo; que BODINHO tinha perdido uma perna; que GORDINHO contou a depoente que encostou colher quente "naquele filho da puta e ele não morreu", sendo estas últimas palavras de GORDINHO; que ligaram para a depoente quando estavam matando BODINHO com o objetivo que a depoente fosse até a residência da mulher de BODINHO para que a mesma "desse arrego" a eles; que "arrego" seria o dinheiro que eles pedem quando "pegam alguém"; que a depoente disse que não iria e ▮▮▮▮, após concordar, desligou o telefone; que a moto de ▮▮▮▮ foi entregue à depoente na semana passada; que BODINHO foi assassinado há cerca de 15 dias; que a depoente não sabe quando DANIEL foi assassinado, sendo que só sabe que ele foi morto por ▮▮▮▮ e por GORDINHO porque eles falaram; que até aqui toda vez que a depoente mencionou GORDINHO está e referindo ao filho da ▮▮▮▮ candidata a onde desceram dois homens, um preto, que segundo puderam perceber trajava uma calça do fardamento da PMERJ.

Segundo ainda ██████████, mãe de Rafael, teria ouvido de MARCELO que um motociclista teria se aproximado de alguém no local combinado, e teria pegado o dinheiro, sem antes perguntar se a quantia toda estava ali, mas diante da informação de quem não seria o valor combinado e sim os R$ 2.700,00, ouviram do motociclista que "... se não tivesse o valor combinado, eles dançariam...".

Isso teria ocorrido por volta das 3:00horas do dia 14/07/2010, e somente na manhã daquele dia chegou a notícia da morte dos dois e os seus corpos foram encontrados num valão, na localidade conhecida como IPUCA, na rua Fernando La Salle, no Jardim Catarina, objeto do RO-██████/2010, feito na 74ª DP, pelo encontro dos cadáveres.

SECRETARIA DE ESTADO DE SEGURANÇA PÚBLICA.
CHEFIA DE POLICIA CIVIL
72ª. Delegacia Policial – CENTRO - SÃO GONÇALO.

EXMª.Drª.JUIZA DE DIREITO DA 4ª VARA CRIMINAL DE SÃO GONÇALO

**REPRESENTAÇÃO POR PRISÃO DE NATUREZA CAUTELAR
TEMPORÁRIA e BUSCA E APREENSÃO**

Ref. INQUERITOS ██████/072/2010; ██████/2010 e ██████/2010

Na tarde de 13/07/2010, RAFAEL ██████████ & DIEGO ██████████ foram seqüestrados por homens num FIAT,SIENA ou STILO, COR PRATA, na Rua Cuiabá, Trindade, que se diziam policiais da P2, e foram levados e após pedirem dinheiro para a sua libertação, numa possível negociação de mineira, haja vista os dois serem atuantes no tráfico, como vapores, e por essa razão seria, em princípio uma MINEIRA realizada por supostos policiais;

Entretanto, durante as inúmeras negociações levadas pelos homens que se intitulavam policiais da P2, utilizando como elo de ligação e contato, visando o pagamento de resgate exigido, o celular que RAFAEL da linha Claro ██████████ que estava em poder dele no momento da "prisão", os autores afirmavam que os dois estavam bem e que queriam o dinheiro do tráfico, e não da família, que com o nervosismo que o caso se apresentava, tentavam negociar os valores, sendo certo que a primeira pedida pelo "resgate" seria a quantia de R$ 15.000,00, porém durante o passar do tempo os valores foram caindo e chegaram ao quantum de R$ 5.000,00 (cinco mil reais), que seria o valor acordado entre os seqüestradores e alguém do tráfico, através das inúmeras ligações no celular de RAFAEL que foram levadas a efeito.

CAPÍTULO 20.
PATRÍCIA MANDA PRENDER O "BONDE DO ZUMBI", QUE SEQUESTRA TRAFICANTES, TORTURA E COBRA RESGATE

O secretário do gabinete, homem de confiança, deixou sobre a mesa de Patrícia o inquérito que chegara da delegacia. Os dois trabalhavam juntos havia mais de dez anos, o suficiente para ele saber que a juíza folhearia com lupa as 235 páginas. Durante a leitura, ela franziu a testa algumas vezes, mas não se surpreendeu ao ver quatro policiais militares envolvidos. A investigação dizia que o grupo criminoso sequestrava e torturava traficantes para obter resgate. Mesmo após o chefe do tráfico pagar entre 5 mil e 30 mil reais, o bando executava o refém com "vários tiros na cabeça, uma espécie de assinatura dos matadores", escreveu o delegado da Polícia Civil, que pedia a prisão temporária dos suspeitos.

Policiais corruptos colhem informações sobre o alvo, antes do achaque. Foi assim no Complexo do Alemão, na zona norte do Rio, quando informantes indicaram as casas que valiam a pena saquear na ocupação do morro pela polícia, em 2010. Era assim também nas comunidades de São Gonçalo. Quem transitasse nas bocas de fumo poderia apontar o bandido cujo sequestro renderia mais[31]. Algumas vezes, para bancar o resgate, os chefes do tráfico de São

Gonçalo emprestavam dinheiro dos comparsas mais abastados do Complexo do Alemão.

Mi se encaixava no perfil de informante. A vida dela nunca fora tranquila. Ela começou com a maconha e, de repente, já consumia a droga mais devastadora para saúde e dignidade humana: pedras de *crack*. Internou-se numa clínica para dependentes químicos. Saiu de lá melhor, mas sem dominar completamente o vício. Aos vinte e seis anos, puxava pelo braço uma filha de quatro anos enquanto carregava no colo um bebê de seis meses[32]. Ainda assim, frequentava pontos de venda de droga na favela. Uma amiga de infância lhe apresentara os "meninos do movimento". Rose era, na verdade, informante de policiais corruptos. Apontava os homens do tráfico para os sequestradores.

Estava escrito que algum dia Rose se daria mal. Isso ocorreu quando um dos policiais da quadrilha raptou uma traficante envolvida na venda de cocaína na comunidade de Mutuapira. A refém reconheceu Rose: "Sei quem você é. Não vão pagar nada". Ficou arriscado pedir o resgate. "Mata ela", pediu Rose. "Quebra ela você, se quiser", respondeu o PM, estendendo a arma. Rose matou. No dia seguinte, o mesmo policial procurou os traficantes de Mutuapira. Disse que não era o culpado pela morte da refém. Em troca de 5 mil reais, entregou Rose à quadrilha. Mi soube que a amiga apanhou muito, levou doze tiros (foi o que disseram) e fingiu-se de morta. Sobreviveu milagrosamente. Mudou-se para São Paulo[33].

Bastante assustada, Mi também quis desaparecer do mapa. Deixou às pressas o bairro Luiz Caçador, distante quatro quilômetros da Fazenda dos Mineiros, local onde dois meses antes morrera Val. O policial chefe dos sequestradores rondava a região à procura de substituta para Rose. Tempos depois, Mi contaria à Patrícia que tentou fugir, mas o PM descobriu o seu paradeiro. Ela cedeu, temendo pela vida da filha. Enquanto percorresse as bocas de fumo atrás de informações, um bandido da quadrilha ficaria na sua casa "tomando conta" da criança.

Mi recebeu uma dica sobre um rapaz mirrado, de vinte e seis anos, que não chegava a 1,65 metro. Atendia pelo apelido de Bodinho. Ele se deu mal quando trabalhava para o tráfico. Perdeu a perna em confronto com a polícia, foi preso e condenado a quatro anos de prisão em 2005. "Já pagou o que devia e está longe do crime", orgulhava-se a mãe, sempre que falava do filho[34]. Mi achava que não. Bodinho continuaria no tráfico. Ele seria um alvo fácil e rentável.

Como pagamento por "entregar" Bodinho, a informante receberia uma moto de 150 cilindradas, de cor preta, roubada de um traficante, assassinado dois meses antes. Numa tarde de sexta-feira, em agosto de 2010, Mi concluiu o levantamento sobre a rotina do alvo. Ela se encontraria com o policial militar que a encarregara do serviço. Zumbi chegou ao local em um Eco Sport preto guiado pelo comparsa, chamado Gordim, que não era policial, mas gostava de se passar por um.

A comunidade fica no Complexo do Salgueiro, conjunto de favelas dominado pelo Comando Vermelho. No banco de trás do carro, Mi apontou a casa onde Bodinho morava e a "barraca" na qual ele tomava cerveja. "Esse é matuto", disse, referindo-se ao título do traficante que negocia direto com o fornecedor de maconha e cocaína. Conforme as investigações dela, Bodinho abastecia "a boca" não só de drogas, mas de armas também. Terminado o relatório, recebeu vinte reais adiantados para comprar o leite do filho.

Passava das 8 horas da noite quando Zumbi e Gordim voltaram ao local à procura do alvo. O portão do cortiço estava fechado. Não aparecia morador para abri-lo. Zumbi teve a ideia de desligar o relógio de energia da vila. Ficou à espreita. Uma mulher emergiu da escuridão para conferir se a chave do medidor caíra outra vez, como de costume ocorria devido ao emaranhado de fios elétricos sobrecarregando a rede. Ela foi cercada por Zumbi e Gordim, que se identificaram como policiais. Os dois seguiram a mulher até a casa de Bodinho. Lá, reviraram tudo à caça de dinheiro ou objeto de valor, mas nada encontraram. Quando saía do cortiço, a dupla avistou um rapaz mirrado que mancava morro abaixo. Pela descrição de Mi, só podia ser o alvo. Ele foi algemado e colocado no Eco Sport[35].

Gordim levou o refém para a sua casa. Não demorou muito, ele telefonou irritado para Mi. Cobrava explicação, pois Bodinho dizia que deixara o comércio de drogas havia bastante tempo. Não tinha dinheiro nem mesmo quem lhe financiasse o resgate.

— Vem cá. Tamos com o cara aqui. Tá falando que não tem mais envolvimento nenhum, que não tem mais nada, que largou tudo.

— Caô puro — rebateu Mi, querendo dizer, com a gíria, que era mentira. Gordim não se convenceu.

— É o gerente de onde?

— Ele recolhe todo o dinheiro daqui e distribui as cargas — afirmou Mi.

— Ah! É ele quem recebe o dinheiro e distribui as cargas — repetiu Gordim, elevando a voz para que o refém ouvisse.

Bodinho se apressou em negar com resmungos, mas foi interrompido.

— Psiu! Cala a boca! Cala a boca! Quando eu falar com você, você me responde. Senão, eu vou te dar choque.

— É essa parada aí — acrescentou Mi.

— É caô dele, né? Pode deixar que vou botar ele no saco — disse Gordim[36].

Bodinho resistia, gemia e negava. Zumbi passou a comandar a tortura. Recorreu à sua velha "mochila mágica", assim batizada porque, a seu ver, continha objetos muito eficientes para "arrancar confissões". O aparelho de choque se destacava, mas havia também algemas, carregadores de armas (para o caso de a munição acabar em algum tiroteio ou depois de matar uma vítima), tocas ninjas, casaco e até uma placa fria de carro. Famosa entre os integrantes da quadrilha, a mochila ficou escondida na residência de Gordim, até o dia em que a mulher dele a descobriu e começou a fazer perguntas.

Sacado o aparelho de choque de dentro da mochila, Zumbi começou a sessão de descarga elétrica no corpo de Bodinho. Em vinte minutos, a bateria esgotada precisou de recarga. Enquanto o equipamento estivesse na tomada, Zumbi recorreria a outras técnicas perversas. Mandou Gordim esquentar uma colher no fogão. Passou o metal aquecido na pele do refém. Depois, os torturadores usaram um ferro de solda como espeto[37]. Bodinho, porém, não falava sobre dinheiro. Conseguia pronunciar apenas: "Por favor, senhor; por favor".

Zumbi ligou para Mi. Em vez de colocar o fone no ouvido, deixou o aparelho em viva-voz para que ela ouvisse a sessão de tortura[38]:

— Você está dado, maluco. O meu X é vapor. O meu X é vapor — disse.

Era uma estratégia de Zumbi. Ele queria dizer que seu interlocutor no celular era um X9 (informante, no jargão do mundo do crime e também na linguagem policial). E esse X9 sabia de muita coisa porque seria vapor, ou seja, o vendedor ambulante de drogas com livre trânsito nas bocas da favela.

— Dá o papo logo — gritou Zumbi.

As respostas continuavam resumidas a gemidos, a gritos fracos de "ai, ai" que Mi agora podia ouvir pelo telefone. Zumbi finalmente levou o celular à boca, meio irritado.

— E aí? Tá ouvindo?

— Tô ouvindo — respondeu a mulher.

— É foda, foda, foda. Daqui a pouco, te ligo de novo, peraí.

Zumbi telefonou para a casa de Bodinho na esperança de alguém da família pagar o resgate. Depois do insucesso, ele concluiu que a tortura não arrancaria nenhuma confissão. Resolveu levar Bodinho de volta ao Eco Sport. Partiu em direção ao bairro Gradim, na periferia de São Gonçalo, próximo à baía de Guanabara e à rodovia federal que corta a cidade. O mau cheiro exalava da água poluída ainda mais forte naquela madrugada.

* * *

Às segundas, quartas e sextas-feiras, Patrícia comandava as sessões de julgamento dos acusados de homicídio, que muitas vezes varavam a noite. As terças e quintas ficavam reservadas às audiências com testemunhas, réus, advogados e promotores de Justiça, ouvidos antes de o acusado sentar-se diante dos jurados. Em meio à correria, Patrícia escrevia à mão suas decisões mais urgentes. No dia 9 de setembro de 2010, em três páginas, ela decretou a prisão de Gordim, de Mi, de Zumbi e mais três policiais envolvidos com o grupo de matadores. Também determinou buscas nos armários que os suspeitos mantinham no quartel[39].

Abaixo da assinatura, Patrícia escreveu "em tempo". Ao refletir um pouco, achou melhor que dois policiais civis de sua confiança comandassem as buscas e as prisões. Ela, então, os nomeou oficiais de Justiça temporários. Concentrava as informações na dupla para evitar vazamento que permitisse fuga dos acusados[40].

"Você sabe por que está preso. Não tira uma de inocente. A partir de agora você não é mais polícia", disse um dos policiais ao prender Zumbi. "Polícia eu sou", respondeu o outro, querendo recusar as algemas. "Você é matador", gritou o agente[41]. Patrícia acompanhou a operação por telefone. À noite, ouviu as confissões de Mi. Evitou que ela fosse levada à prisão, onde fatalmente morreria por ser informante da polícia. Não significava um decreto de inocência. Dois meses depois, o promotor de Justiça denunciou Mi formalmente à Justiça juntamente com Gordim e Zumbi[42].

O advogado de Zumbi reclamou que Patrícia agia com parcialidade. Ao apresentar a defesa, pedindo absolvição, destacou um trecho em negrito que sintetizava a sua opinião e a de muitos colegas de advocacia: "Atualmente, o promotor e a juíza deixaram de laborar pela Justiça para serem integrantes do sistema de combate ao crime, não importando o que se tenha que fazer, ainda que o preço seja o sacrifício de garantias fundamentais, com a possibilidade de sacrifício de inocentes". Desse jeito, "seria mais prático e mais barato que a polícia fizesse o julgamento, não faria tanta diferença"[43].

*   *   *

Gordim ficou foragido até janeiro de 2011, quando um dos policiais civis da confiança de Patrícia o localizou em Guarapari, balneário do Espírito Santo. "Perdi, perdi", gritou ele sem esboçar reação. Deixou claro que colaboraria com a Justiça. Cinco meses depois, Patrícia homologou a delação premiada que Gordim aceitou fazer em troca de redução na pena. Entre inúmeras mortes, ele contou como terminou o sequestro de Bodinho: "Zumbi colocou uma pistola nove milímetros na minha mão e disse: como você nunca fez nada, esse é seu". Gordim disse que esticou o braço, mirou e puxou o gatilho. "A pistola falhou duas vezes. Emputecido, Zumbi puxou um calibre quarenta e cinco e deu dois tiros na cabeça de Bodinho", disse o delator. Mas, como diria Mi, talvez a história da arma travada fosse "caô puro".

Gordim também descreveu outros crimes dos quais participou. O grupo de matadores era chamado de Bonde do Zumbi, em homenagem ao chefe da quadrilha. Sem que pudesse suspeitar, quando raptou Bodinho, Zumbi já era alvo de investigação determinada por Patrícia. Ela autorizara um grampo no celular dele. Assim, as escutas telefônicas trouxeram detalhes de como foi a tortura do refém.

O último telefonema ocorreu na manhã seguinte ao sequestro. Zumbi ainda estava sonolento ao ser despertado pela ligação de Mi. Como se dissesse bom-dia, ele iniciou a conversa falando repetidas vezes a mesma palavra, que significa a propina cobrada dos traficantes que raptava[44].

— Arrego, hem! Arrego, arrego. Acordei agora.

Contou que a tortura da véspera não dera resultado, apesar de ter se estendido até as 3 horas da madrugada.

— Nada, nada, nada. Pica! Tempo, gasolina e [perdi] munição. Ele só tinha sete reais e um isqueiro verde no bolso. Puta que pariu! Acordei agora.

— É foda — concordou Mi.

Ela estava com problemas. De madrugada, levou o filho ao hospital acometido de uma crise de bronquite. Esperava que o sequestro de Bodinho rendesse dinheiro, ao menos cinquenta reais, para comprar remédio.

— Meu filho ficou lá. Eu não posso trazer, porque, olha só, tenho o nebulizador, mas não tenho remédio. Só pica.

— Pior, todo mundo quebradinho — concordou Zumbi, para depois se zangar: — Pô, tu falou essa parada aí. Mas pô. Olha só... Três horas direto de choque ninguém aguenta. Com certeza, uma hora ele ia falar, mas não falou em nenhum momento.

* * *

Em setembro de 2015, cinco anos após a denúncia do Ministério Público, Mi foi assassinada com catorze tiros na cabeça ao lado do marido, em Nova Iguaçu, cidade da Baixada Fluminense. Ela ainda era testemunha no processo contra Zumbi[45]. Em dezembro de 2017, ele foi condenado a setenta e nove anos de prisão pelo sequestro e homicídio de outros dois traficantes.

© Hudson C...

CAPÍTULO 21.
O ENDEREÇO DA JUÍZA

Dedicado guarda-costas, o cabo Frank ficava ao lado da juíza boa parte do dia no Fórum de São Gonçalo e, com o passar do tempo, começou a frequentar a casa de Patrícia. A proximidade afunilou em namoro, um romance que logo enveredou pelo campo minado de brigas. As desavenças ocorriam por causa do julgamento de policiais militares no Tribunal do Júri. Muitas vezes, o cabo da PM criticava a juíza de direito. Ele tomava partido dos colegas de farda sentados no banco dos réus, acusados de matar inocentes e de forjar legítima defesa. Conturbado desde o começo, o namoro chegou ao fim após cinco anos, em agosto de 2009.

Foi um rompimento amigável que não desatou o laço entre os dois. O cabo Frank continuou guarda-costas, mas Patrícia o via embarcado numa montanha-russa — um homem de quarenta anos com seus altos e baixos. Não queria deixá-lo suportar a carga sozinho. Sempre gostou de proteger as pessoas à sua volta. No fundo, sentia-se um pouco responsável pelo martírio do ex-namorado. Em *blogs* anônimos da *internet*, ele sofria hostilidade por causa do relacionamento amoroso que tivera com "a inimiga número 1" dos policiais.

Frank procurou ajuda psiquiátrica. Primeiro na rede particular, depois no precário serviço de saúde da Polícia Militar. O conflito se agravou com a morte da mãe, que cuidava do neto de catorze anos, filho de Frank. As coisas ainda podiam piorar. Um mês depois, o Comando da PM retirou a escolta de Patrícia, e ele foi transferido para um batalhão. A vida mudara de rumo, mas felizmente havia o apoio de Patrícia, que chegava a ficar a maior parte do tempo livre na casa dele, mas sem reatar o namoro[46].

Patrícia se envolvera com outro homem, dezessete anos mais novo. Day era inspetor de segurança penitenciária, tinha uma filha recém-nascida e logo recebeu o que ele mesmo definia como superproteção da juíza. Os dois se conheceram no final de 2010. Contavam apenas seis encontros, mas o caso adernava para o lado sério. A família de Day, que morava em São Gonçalo, visitou Patrícia em casa. Numa sexta-feira, ela o chamou para assistir ao julgamento no Fórum. O rapaz entendeu que o homem sentado no banco dos réus era um *skinhead*. Não memorizou a sentença. Encerrado o júri, foi para a casa da juíza.

Por volta das 8 horas da manhã seguinte, Frank chegou à casa de Patrícia, em Niterói. Saíra do plantão na PM, mas não foi descansar. Queria algumas folhas de cheque assinadas pela juíza — um empréstimo para que pagasse a matrícula de um curso preparatório para concursos. Mesmo após o fim do namoro, ainda tinha as chaves do portão e o controle remoto da garagem. Entrou na casa sem chamar atenção.

Day saía do banheiro. Frank pediu explicações à antiga namorada, numa erupção de ciúme. O inspetor penitenciário tentou falar, mas foi interrompido pelo cabo da PM: "Não te conheço. Não estou falando com você". Patrícia também ralhou com o rapaz: "Não se meta". Ele desobedeceu, é claro. Começou um bate-boca que virou troca de socos entre os dois. Embora menor no tamanho, Frank levava alguma vantagem sobre o oponente.

Vigiar presídio é trabalho bastante arriscado. Uma encrenca intramuros pode resultar em vingança no lado de fora. Para a desforra é que existem comparsas em liberdade nas ruas. Os inspetores trabalham desarmados, mas na folga se previnem. Day colocara a pistola calibre 380 num móvel próximo ao sofá do quarto. Conseguiu alcançá-la numa brecha que o rival deu. O outro tentou segurar-lhe a mão, e, nisso, houve o disparo. Por muita sorte, ninguém se feriu.

Day acabou de costas para Frank, que o agarrava. Como numa cena dos filmes antigos de cinema, onde valia mais a inteligência que a brutalidade, o cabo levou o dedo à nuca do adversário simulando encostar o cano de um revólver. "Larga a arma", disse. Day largou. Muito assustada, Patrícia pegara a pistola calibre quarenta, que pertencia à Polícia Civil, mas estava acautelada para o seu uso pessoal. Vendo que o antigo companheiro dominava a situação, baixou a arma e a pôs de volta em cima da televisão.

Agora rendido, Day disse a Frank: "Eu não te conheço, não tenho nada contra você. Se tiver que machucar ou matar alguém, mate ela". Em resposta, Frank passou a agredir o outro com chutes e socos. Os apelos de Patrícia finalmente aplacaram a fúria. O cabo recuou, devolveu a arma ao rival e o acompanhou até a saída da casa. Talvez por causa da variação de humor, resolveu ajudar Day a manobrar o Ford Fusion, um carro avantajado para o tamanho da garagem. Por fim, os dois apertaram as mãos.

Tudo parecia resolvido, mas Day voltou à casa meia hora depois, acompanhado de dois policiais militares a quem pedira ajuda. Patrícia o chamou para conversar na garagem. Pediu que ele fosse embora, pois aquilo viraria um escândalo. Nada feito. O rapaz telefonara para os pais, que estavam a caminho. Queria ir à delegacia registrar queixa de agressão. Desconcertada, Patrícia entrou em casa, trocou de roupa e pediu que Frank aguardasse a sua volta. Nisso, os pais do namorado chegaram ao portão, e os quatro seguiram para a delegacia.

Toda essa história, com essa riqueza de detalhes, foi contada por Patrícia em depoimento à Corregedoria da Polícia Militar, um mês após a briga[47]. Um tenente-coronel ouviu a juíza no gabinete dela. Frank reagiu mal à investigação do corregedor. Patrícia contou que ele ficou internado dez dias numa clínica por ordem do psiquiatra da PM. Depois, afastou-se do trabalho para continuar o tratamento médico. Entrou em depressão e tentou suicídio três vezes, contou Patrícia.

Ela decidiu encerrar o namoro com Day. Ainda lhe fez o favor de pedir ao 7º Batalhão da PM, sediado em São Gonçalo, que enviasse uma viatura para vigiar a casa da família dele durante os dias seguintes. Com síndrome do pânico, a mãe do rapaz chorava, queria segurança com medo de Frank se vingar do filho.

A versão de Day sobre a briga é bastante diferente. Ele disse à Justiça que dormia no quarto de Patrícia quando Frank saltou pela janela, pegou a sua arma ao lado da cama e apontou para ele. Certamente, o cabo da PM vira o enorme Fusion estacionado na garagem. Deduziu que a ex-namorada estava com outro homem. O ciúme lhe subiu à cabeça. Day acordou na mira de sua própria arma. Vestido com calça azul, coturno, uma camisa preta, aquele policial irritado parecia prestes a um desatino. Patrícia agarrou a sua pistola em cima da televisão, apontou para Frank, que ameaçou atirar no rapaz. Ela jogou a arma no chão. A partir daí, o ciumento cabo partiu para socos e pontapés, contou Day. Ele diz que teve o maxilar deslocado, uma fissura no nariz e uma costela quebrada. Patrícia sofreu um corte no rosto, ficou com manchas roxas pelo corpo[48].

Mike viu o corte e os hematomas na pele da mãe. Na crise de ciúmes, Frank "disse que, se ela não fosse dele, não seria de ninguém", relatou Mike à polícia, muito tempo depois[49]. Wilson, o pai de Mike, lembra o que disse à Patrícia: "Até essa briga, você era vista como um super-homem. Aí quando você sangra, eles te veem vulnerável, de carne e osso. Antes, um alvo inatingível, agora não mais". Pior que isso. Por causa do registro na delegacia, os inimigos agora sabiam o seu endereço. Era fevereiro de 2011.

CAPÍTULO 22.
O ASSASSINATO DO MENINO QUE VENDIA DOCES

"Vocês conhecem Jesus?", perguntava o PM alto, negro e grande como um boxeador peso-pesado. "Eu sou Jesus", respondia ele mesmo, distribuindo tapas na garotada da Estrada das Palmeiras[50], uma das comunidades do Complexo do Salgueiro. A Fazenda dos Mineiros, onde a catadora de lixo Val levou um tiro na cabeça, também fica nos limites do complexo, e, na mesma região, o Bonde do Zumbi sequestrava traficantes para cobrar resgate. Os crimes daquele violento pedaço da cidade de São Gonçalo resultavam em diversos processos na 4ª Vara Criminal, comandada por Patrícia.

A Promotoria de Justiça identificou o PM que se dizia Jesus como sendo o cabo C. A.[51], integrante da equipe de oito policiais do GAT (Grupo de Ações Táticas) que patrulhava o Complexo do Salgueiro. C. A. foi um dos acusados de matar a catadora Val, em maio de 2010, porém a suspeita não bastou para retirá-lo das ruas. Passado mais de um ano, na tarde de sexta-feira, 3 de junho de 2011, o cabo e seus colegas do GAT fizeram uma operação na Estrada das Palmeiras. Moradores suspeitaram da ação de cara, acostumados a ver a polícia pedir propina em vez de prender bandidos.

O tiroteio começou na rua onde morava Diego, de dezoito anos. Ele vendia pipoca e doces em local próximo à estação de onde partem as barcas que navegam a baía da Guanabara, entre as cidades do Rio e Niterói. Sem camisa, de calção e chinelo, acompanhou a mãe até o ponto de ônibus, esperou que ela embarcasse e, na volta para casa, parou em uma roda de amigos na esquina. Quando ouviram tiros, ele e os outros rapazes correram. Diego pulou o muro de uma casa abandonada, a de número quarenta e oito, na mesma rua em que morava. A bala de fuzil o acertou no braço esquerdo, na altura do cotovelo, provocando uma fratura exposta, e penetrou o abdômen. Morreu em no máximo dez minutos[52]. Na rua, em frente à casa, os peritos da Polícia Civil encontraram quatro pares de chinelos que os adolescentes perderam na fuga.

* * *

No começo da noite, o cabo C. A. registrou o "auto de resistência" na 72ª Delegacia da Polícia Civil. Apresentou como testemunha outro cabo, S. Q., que estava ao lado dele durante a incursão na favela. Segundo o relato no boletim de ocorrência, C. A. "avistou cinco, sete ou seis elementos que, ao perceberem aproximação policial, efetuaram disparos" e ele revidou "a injusta agressão". Cessado o tiroteio, encontrou Diego caído na casa abandonada com uma pistola Colt calibre quarenta e cinco ao lado. O PM, então, chamou o Corpo de Bombeiros para socorrer o rapaz, que ainda estaria com vida[53].

Naquele ano de 2011, a Polícia Militar fluminense mataria 523 pessoas. Como sempre, os policiais alegaram legítima defesa contra bandidos. A morte de Diego ficaria esquecida nas estatísticas, se os abusos da PM não estivessem no radar de Patrícia. Em suas investigações, ela contava com um agente de confiança, o inspetor da Polícia Civil que havia ajudado na prisão do Bonde do Zumbi. Fazendo papel de escrivão, o inspetor tomou nota dos depoimentos de três testemunhas do assassinato do rapaz. Elas apresentaram versão diferente da que o cabo C. A. contara[54].

Na casa abandonada, onde Diego se abrigou, os policiais tinham montado uma emboscada conhecida na PM como troia, em referência ao cavalo de madeira usado na guerra pelos gregos. A Anistia Internacional produziu um relatório no qual um policial civil fala sobre a troia: "Um grande grupo de policiais, com várias viaturas, entra na favela fazendo muito barulho. Depois sai. Só que uns ficam escondidos em alguma casa. É uma tática para execução. Quando os traficantes aparecem, os policiais que estão escondidos os executam"[55]. O rapaz fora confundido com um traficante.

A vizinha que voltava da padaria viu Diego pular o muro da residência, escutou tiros e o apelo: "Socorro, chama a minha mãe. Eu não sou bandido, não sou bandido". Os policiais não se comoveram: "Perdeu, mané". A irmã de Diego tentou socorrê-lo. Contida pelos homens da PM, ouviu os gritos virarem gemidos baixinhos. Depois veio o silêncio. A chegada da ambulância do Corpo de Bombeiros trouxe esperança, que logo se dissipou. Diego foi retirado da casa dentro de um saco preto que deixava ver os pés com manchas roxas. A irmã o pressentiu morto, mas os policiais negaram. Disseram que o saco evitava sujar de sangue a ambulância. O "paciente" chegou ao hospital sem vida.

O corpo deu entrada no Instituto Médico Legal sem as roupas, lavado e sem o isolamento das mãos, ao contrário do que mandava o pedido de exame residográfico[56]. Esse teste indicaria se havia resíduos de pólvora nos dedos, algo fundamental para saber se realmente o rapaz disparara alguma arma de fogo, como afirmavam os cabos C. A. e S. Q., que apresentaram à delegacia a pistola calibre ponto quarenta e cinco. Não havia régua antropométrica no IML para medir Diego e calculou-se a olho nu que ele tinha "compleição física mediana", embora fosse um rapaz alto. "Só tinha tamanho", como diziam os vizinhos. O laudo descrevia um jovem de "cor negra, cabelos pretos e crespos e olhos com íris castanhas".

Como também faltava o aparelho de radioscopia, o legista não localizou a bala dentro do corpo, enterrado sem que a extraíssem. Três meses após a morte, o inspetor da Polícia Civil, o de confiança de Patrícia, levantou dúvidas se o projétil que atingiu Diego era de calibre 762 ou 556. Por solicitação do Ministério Público, a Justiça mandou exumar o cadáver. Só então o Instituto de Criminalística do Rio de Janeiro recuperou a bala e concluiu que ela saíra do fuzil do cabo C. A.[57].

Doze dias após o homicídio, C. A. depôs na Polícia Civil, negou que tivesse o apelido de Jesus[58] e reafirmou que a PM foi atacada e apenas revidou. Mas a versão estava minada pelas testemunhas do caso. A Polícia Civil pediu a prisão dos cabos C. A. e S. Q. No dia 16 de junho, Patrícia escreveu à mão a ordem de prisão temporária: "A narrativa dos fatos descritos pelas testemunhas indica que os indiciados, soltos, colocariam em risco o bom andamento do inquérito policial face ao temor que impõem às possíveis testemunhas e ainda ao fato de estarem em atividade policial de patrulhamento no local dos fatos"[59].

* * *

O bairro Tibau em Niterói surgiu de uma antiga colônia de pescadores às margens da lagoa Piratininga, cujas águas ainda atraem garças à espreita de peixes. É um condomínio de belas casas, ruas sem asfalto, bastante arborizado que acaba em um morro rochoso coberto de mata. Patrícia se mudou para o local em busca de sossego. Ela morava numa casa de dois andares cor mostarda, de muro alto e portão de madeira envernizada. A estreita calçada de placas de concreto tinha dois círculos de terra reservados a mudas de árvores ainda por crescer. Durante a noite, o bairro se envolve numa escuridão que a fraca iluminação pública não dissipa.

Camuflados na sombra, o tenente Daniel Benitez e os cabos Jeferson Araújo e Sérgio Júnior conferiam o terreno à procura do endereço de Patrícia, que decretara a prisão de C. A. e S. Q., seus colegas de patrulhamento no Complexo do Salgueiro. O soldado H. L. guiava o tenente e os cabos. Com cara de bom-moço, H. L. servia no quartel da PM em Niterói, morava em São Gonçalo e conhecia o cabo Araújo. Mas estava ali por uma casualidade que o ex-marido de Patrícia tão bem previra.

No início de fevereiro, o soldado atendeu a um chamado na residência de Patrícia na manhã da briga entre Frank e Day, o então namorado dela. Como Wilson havia antecipado, a juíza considerada inatingível ficara exposta aos desafetos.

Um tanto nervoso, o soldado não conseguiu apontar o endereço. Passaram cinco meses desde a confusão na casa da juíza, justificava ele. Indicava duas ou três casas como prováveis, mas não se decidia. O tenente Benitez observava o local planejando o melhor jeito de atacar. Quando chegasse de carro, Patrícia poderia vir da rua que fazia um T com a que ela morava, virando para a direita e praticamente embicando no portão da garagem; ótimo para uma emboscada, mas aquele não era o momento.

Ao terminar a inspeção, o tenente, os dois cabos e o soldado entraram no Kia Cerato, de Benitez, e votaram à praça do Barreto, no centro de Niterói, onde tinham se encontrado no início daquela noite. A namorada de Benitez ficara dentro do Corolla, que pertencia ao cabo Araújo, assistindo a um filme no aparelho de DVD para matar o tempo. Como os outros demoraram mais de uma hora para regressar, ela adormeceu despreocupada[60]. Era julho.

COMARCA DE S.
FÓRU
JUIZ LEANDRO EDUARDO

CAPÍTULO 23.
DE TOCAIA NA
PORTA DO FÓRUM

O julgamento que começou na segunda-feira só terminou na manhã seguinte, 9 de agosto. Cansada, Patrícia começou a ler a sentença.

O tenente da PM foi acusado de matar um adolescente de dezessete anos na casa de shows Aldeia Velha, a menos de dois quilômetros do Fórum, onde agora ele era julgado. O jovem morreu em 2008, mas o julgamento demorou três anos para ocorrer. A história ocupava 700 páginas do volumoso processo empilhado no plenário do Tribunal. Tudo começou na festa matinê de slogan "Cala a boca e beija logo", que reuniu uma garotada. Após seis horas de animação, temperada com bebida, algum tipo de confusão parecia inevitável. Com onze anos de profissão, trinta de idade, o tenente se meteu na encrenca porque cuidava da segurança do evento. A denúncia dizia que ele deu uma coronhada de pistola em Ron, de vinte e quatro anos, também envolvido no tumulto. A arma disparou. O tiro atingiu o jovem de dezessete anos na cabeça.

Banalizada assim, a morte gerou comoção na cidade. A família e os colegas de escola do menino fizeram uma passeata pelas ruas de São Gonçalo. Vestiram camisetas brancas com a foto estampada do rapaz. A imagem do rosto infantil aparecia também num *outdoor* próximo ao Fórum. Outros pais que tiveram filhos assassinados participaram da caminhada. Para simbolizar o luto, traziam amarrada à cabeça uma fita preta com a palavra "paz" escrita em branco.

Três meses depois, Ron, o que levou a coronhada, morreu em um acidente de moto. Surgiram comentários de que era uma "queima de arquivo", pois ele seria testemunha no julgamento do PM acusado de matar o garoto. O boato circulou pela cidade: alguém assassinara Ron, simulando a morte no trânsito. Na época da briga na casa de shows, ele preferiu não registrar queixa contra o policial. Apesar do golpe na cabeça, dispensou o hospital pelos cuidados caseiros da tia.

A teoria da conspiração não sobreviveu ao longo dos anos até o julgamento. Os jurados tinham diante deles apenas o fato concreto da morte do rapaz de dezessete anos. Eles decidiram que o tenente não queria tirar a vida de ninguém. Cometera o que se chama no meio jurídico de homicídio culposo, um acidente sem intenção de matar. Coube à Patrícia aplicar a pena de um ano e quatro meses de detenção, substituída no mesmo instante pela obrigação de o policial prestar sete horas semanais de "serviços à comunidade", durante um ano.

Encerrada a sessão, o ânimo de Patrícia se abateu. Como sempre, ela se envolvera com o caso. Não achava razoável um oficial da PM ignorar o perigo de a arma disparar, se usada para golpear alguém. Durante o julgamento, ela cravou os olhos no réu, quando ele explicava o funcionamento da pistola. O tenente argumentou que não travara a arma porque estava em situação de perigo. Assim, caso precisasse, atiraria contra agressores em legítima defesa. Ao folhear o processo, a juíza concluiu que as testemunhas em momento algum disseram que o policial corria risco na confusão,[61] mas não era ela, e sim os sete jurados que definiriam a sorte do tenente.

A 4ª Vara Criminal, onde ocorreu o julgamento, fica no segundo andar do Fórum. É um ambiente em que a família da vítima cruza com a do assassino. Por lá circulam mulheres com filhos ou maridos presos por homicídio. Algumas carregam bebês de colo à procura de boa notícia na saleta da secretaria, onde funcionários informam sobre o andamento dos processos criminais. Querem saber se a juíza concedeu a tão esperada liberdade. Não raro, choram ao ouvir que o pai da criança continuará encarcerado. Nos dias sem julgamento, a agitação aumenta nos corredores. Testemunhas, vítimas e réus aguardam o chamado pelo alto-falante para entrar na sala de audiência.

Patrícia comandava a 4ª Vara Criminal havia doze anos. Assim como as vítimas de violência que passavam pelo Fórum, ela enfrentava o seu drama. Intercalava ameaças de morte com momentos de paz, cada vez mais breves. Apesar disso, perdera a escolta de guarda--costas. A PM lhe negou seguranças. O Tribunal de Justiça nada fez.

Muitas vezes, a história é um zigue-zague de fatos e personagens. No final de 2010, o coronel Cláudio Luiz de Oliveira assumiu o comando do 7º Batalhão da Polícia Militar, responsável pela segurança em toda a cidade de São Gonçalo. O coronel tinha a fama de "operacional", homem de ação nas ruas, que servira no Bope, a tropa de elite da PM. Ele cruzara pela primeira vez o caminho de Patrícia, em setembro de 1989, quando ela não era juíza. O encontro ocorreu no estádio Maracanã, durante a histórica partida entre Chile e Brasil pelas eliminatórias da Copa do Mundo. Alguém jogou um rojão dentro de campo. O goleiro chileno aproveitou para simular um ferimento com a gilete que escondia nas luvas. Uma confusão se espalhou pelas arquibancadas. Entre os torcedores, Patrícia discutiu com Cláudio, que tentava conter a multidão. Foi presa por desacato. Reagiu processando o policial por abuso de autoridade.

Passados vinte anos, a juíza estranhava que o coronel não a tivesse visitado em seu gabinete no Fórum, após ele assumir o 7º Batalhão. Os comandantes anteriores sempre apareceram para um café, depois da posse. Apesar da desfeita, Patrícia pediu um favor a Cláudio: que os cabos Frank (seu ex-namorado) e P. fossem dispensados do quartel para fazer a segurança da 4ª Vara Criminal. Na prática, significava protegê-la. Cláudio concordou, porém o Comando-Geral da PM retirou a escolta. Alegou que o pedido deveria ser encaminhado ao Tribunal de Justiça, e não ao batalhão[62]. Patrícia estava desprotegida.

Ela temia pelos filhos. Cada vez mais parecidas com a mãe, Duda estava com oito anos; e Clarinha, com doze. Nas últimas semanas, Mike tornara-se a maior preocupação. Patrícia recebeu o telefonema anônimo de um homem que descrevia a rotina do rapaz desde a academia de ginástica frequentada por ele até o itinerário de estudante. Logo pela manhã, Mike saía de Niterói para a praça da República, no centro do Rio, onde fica a faculdade de direito. A ameaça foi clara: se a juíza não afrouxasse a atuação em São Gonçalo, o filho morreria[63]. Se estivesse vivo, o jovem assassinado na festa teria a mesma idade de Mike: vinte anos.

* * *

A pedagoga Lua cuidava de Clarinha e Duda nas noites de segunda, quarta e quinta-feira. Na terça e sexta, as meninas ficavam com o pai. Lua conhecia Patrícia desde a adolescência. O trabalho de babá das filhas de uma grande amiga era prazeroso, mas acabava puxado às quintas-feiras porque Patrícia voltava do Fórum quase de madrugada, como naquela noite, 11 de agosto.

Por volta das dez e meia, Lua ouviu um barulho parecido com o de portas de madeira batendo sucessivamente na casa vizinha, que, ela sabia, estava vazia havia pelo menos quatro meses. A *pit bull* da família, branca com manchas pretas, acostumada a ganhar a rua quando o portão abria, começou a latir sem parar. Lua foi ao quintal investigar o que acontecia. "Tô dando uma olhada aqui", disse às meninas. Não viu movimento, ralhou com a cadela, voltou à cozinha e fechou a porta.

Uma hora depois, Mike chegou da academia de ginástica. Ele desembarcou na entrada do bairro Tibau, onde não circula ônibus, e completou o caminho a pé. Antes de abrir o portão, observou por um instante a rua vazia tomada pela escuridão. Entrou em casa.

Cumprimentou afetuosamente Lua e as irmãs, que estavam na sala. Passou ao quarto e, depois, ao banheiro para tomar banho.

* * *

Como sempre, Patrícia teve um dia cheio. Comandou o julgamento do homem que matou um pai de família na frente das três crianças. "O que tal fato ocasionou nas mentes dos filhos da vítima só o tempo poderá dizer", afirmou a juíza lendo a sentença. "As consequências do delito, com os envolvidos de cara limpa, seriam justamente estabelecer o terror, o medo e a violência nas comunidades menos favorecidas", completou. O réu deixou o Fórum condenado a dezessete anos de reclusão, que se somariam a outra pena, de doze anos, pelo crime de roubo seguido de homicídio.

No intervalo da sessão, um advogado pediu à Patrícia o adiamento do próximo júri, marcado para a segunda-feira seguinte. Acusado de cinco homicídios e uma tentativa, o réu estaria doente e, além disso, ainda não tinha acertado o pagamento de honorários ao advogado. A 4ª Vara Criminal estava sobrecarregada de processos para se dar ao luxo de um adiamento desses.

Patrícia recebeu mais tarde a visita do cabo Frank. Ele continuava presente, embora não fosse mais guarda-costas nem namorado. Ficou pelo menos uma hora no gabinete, de onde saiu após as 8 horas da noite. Esbarrou no corredor com o inspetor da Polícia Civil da confiança da juíza e a advogada Ane, que aguardavam uma audiência para tratar do mesmo assunto: as prisões de C. A. e S. Q., acusados de matar o jovem Diego. Os dois vinham com objetivos diferentes.

O inspetor filtrava os autos de resistência arquivados na delegacia. Ele achava que policiais militares executavam inocentes, como Diego, alegando legítima defesa. Não demorou muito para o inspetor entrar na lista de ameaçados de morte, uma relação de nomes encabeçada por Patrícia. Ele queria apresentar à juíza um relatório sobre suas investigações. No campo aposto, Ane sondava as chances de seu cliente S. Q. ganhar a liberdade. Patrícia decidiria sobre o caso ainda naquela noite.

Ao saber da decisão, Ane telefonou para S. Q., que mesmo preso conseguia falar ao celular. Também ligou para o cabo Jeferson Araújo, seu amigo[64]. Ele disse que estava na igreja naquele momento. A advogada ainda tentou contato com o tenente Daniel Benitez, porém a chamada caiu na caixa postal. Um mês antes, Araújo e Benitez tinham rondado a casa de Patrícia e, naquele momento, estavam à espreita outra vez.

Na porta do Fórum, Ane encontrou um colega que a reteve numa conversa banal. Mosquitos zumbiam no ouvido, o vento trazia o mau cheiro das caçambas de lixo. O celular tocou dando uma boa desculpa para ela encerrar o assunto. A advogada levou o telefone ao rosto, fez uma cara de "sinto muito" para o colega e seguiu na direção da rua lateral ao Fórum.

No caminho, ela passou por um Palio cor vinho, quatro portas, estacionado naquela viela escura. Mesmo se estivesse disposta a olhar atentamente dentro do carro, a camada de *insulfilm* lhe bloquearia a visão. Além do mais, não acreditaria se lhe contassem que no carro estavam o tenente Benitez e os cabos Jovanis Falcão e Sérgio Júnior. Parados há um bom tempo lá, eles observaram o ex-namorado de Patrícia deixar o Fórum na moto preta, apropriada às competições de rali. Agora, viam a advogada passar falando ao telefone. Ela devia ter notícias frescas. O tenente resolveu reativar o seu celular. Os três policiais haviam desligado os aparelhos assim que chegaram ao local, para evitar que a estação de rádio registrasse a localização deles e, no futuro, indicasse onde estavam naquela noite.

Benitez supôs que Ane tentara um contato para falar sobre a decisão judicial. Tinha ido ao Fórum justamente se inteirar das novidades. Às 8h50 da noite, o tenente ligou de volta para a advogada. Ela relatou a primeira adversidade: os cabos C. A. e S. Q. continuariam no presídio por tempo indeterminado. Havia uma segunda parte ainda pior. Benitez, os cabos Falcão, Sérgio Júnior, Jeferson Araújo e outros três integrantes do grupo também seriam presos. Todos participaram da operação que resultou na morte de Diego.

Em sua decisão, escrita à mão, Patrícia argumentou que os policiais em liberdade ameaçavam testemunhas e que parte deles já respondia a várias ações por homicídios, registrados como autos de resistência nas delegacias da Polícia Civil, como a morte da catadora de lixo Val[65]. A juíza não podia adivinhar que Benitez, Jeferson Araújo e Sérgio Júnior rondaram a sua casa um mês antes. Nem sonhava que eles estavam agora na porta do Fórum.

"Estou revoltado, porra! Sou mais um policial injustiçado de São Gonçalo. Nunca respondi a inquérito. O primeiro foi desse Diego, mas eu, porra, era apenas o motorista da viatura", esbravejou o cabo Sérgio Júnior, ao saber da notícia. Ele notou Falcão impassível. Talvez o colega já esperasse o pior. A raiva transbordava no olhar do tenente. Ainda dentro do Palio, os três viram quando Patrícia deixou o Fórum, às 23h13.

CAPÍTULO 24

QUALQUER ESTALO LEMBRA OS 21 TIROS

O Grupo de Ações Táticas — chamado de GAT — tinha a missão de prender traficantes e apreender drogas. Ao final do plantão de vinte e quatro horas, se o resultado fosse ruim, os policiais perdiam um dos três dias de folga para compensar o fraco desempenho. Forçava-se, assim, maior empenho no combate à criminalidade. Seguindo a estratégia, o Comando-Geral da PM escolheu o coronel Cláudio, de quarenta e seis anos, para dirigir o 7º Batalhão em São Gonçalo. Ele possuía as credenciais de "PM operacional" — mais afeito às ruas que ao serviço burocrático no quartel. Cláudio fora premiado por ato de bravura e eleito o melhor policial do ano, na década de 1990[66].

O tenente Daniel Benitez assumiu uma das equipes do GAT no 7º Batalhão. Seguia os passos do coronel Cláudio. Estava com vinte e sete anos, o mais jovem no grupo de nove homens que ele comandaria no GAT. Juntara a garra ao vigor físico: mais ou menos 1,80 metro, peso regulando com altura, o queixo furado, as sobrancelhas grossas arqueadas sobre o olhar frio. Com toda razão, traficante nenhum gostaria de confrontá-lo.

Benitez concentrou o apetite nos complexos do Salgueiro e da Coruja. As favelas viviam sob o jugo do narcotráfico, e não havia qualquer iniciativa do Estado para libertá-las. Se fossem corretas, as operações da polícia resultariam na captura de bandidos e na apreensão de drogas, como queria o Comando da PM. Mas, segundo o Ministério Público, o GAT agia nas sombras da corrupção. Cobrava propina dos traficantes, apoderava-se dos fuzis dos criminosos — para vender aos de outra facção — e metia a mão até mesmo na cocaína e maconha. O grupo almejava o chamado "espólio da guerra" do tráfico. A espoliação do inimigo rendia 10 mil reais por semana aos homens do GAT, segundo investigação da Divisão de Homicídios[67].

Aos olhos do Comando da PM, a equipe de Benitez até parecia uma tropa de elite entre os mais 600 homens que serviam no 7º Batalhão. A fama do quartel em São Gonçalo era péssima. Ganhara o apelido de "o batalhão do gatilho", após o Ministério Público acusar setenta policiais de cometer homicídios camuflados em legítima defesa; os chamados autos de resistência, no jargão da Secretaria de Segurança[68].

Patrícia tolerava cada vez menos a violência na PM. No final de janeiro de 2011, mandou prender um oficial de peso, o major responsável pelo serviço de inteligência do 7º Batalhão. Cinco homens comandados por ele se envolveram num suposto tiroteio com traficantes no Complexo do Salgueiro; um adolescente de dezessete anos morreu. O major nem sequer esteve na favela durante a ação, mas, na opinião da rigorosa juíza, ele se omitiu ao permitir que seus subordinados alterassem a cena do homicídio.

Os cinco policiais disseram na delegacia que o major, por telefone, autorizara o transporte da vítima a um hospital, aonde chegou sem vida. Para o médico plantonista, o adolescente provavelmente morrera na hora, alvejado por um tiro no peito. O corpo deveria, então, ficar no local do suposto confronto até a chegada dos peritos da Polícia Civil. O major negou ter ordenado a remoção do baleado, mas a sua versão não convenceu Patrícia. Ele passou uma semana na cadeia. Conseguiu *habeas corpus* no Tribunal de Justiça, que não viu motivos para a prisão[69].

Benitez começou a reclamar de Patrícia para os companheiros do GAT. Qual policial seria o próximo preso? A juíza não tinha limites, o que fazer para contê-la? Numa reunião, em maio de 2011, ele apresentou a solução aos subordinados: precisavam matar.

O tenente confiava em Sérgio Júnior. O cabo grandalhão, de 1,90 metro, tinha apenas seis meses no GAT, trinta e um anos de idade e quase uma década de serviço na PM. As olheiras expressavam o cansaço. Boa parte do tempo trabalhou em Niterói, cidade onde começou a carreira. O Comando-Geral o havia transferido para o posto comunitário do Jardim Catarina, em São Gonçalo, no final de 2010. Considerado o maior loteamento urbano da América Latina, o bairro teve origem no fatiamento de uma fazenda, na década de 1950. Tornou-se gigantesco com mais de 250 mil moradores. Cuidar da segurança ali era como vigiar um município; poucos no Brasil têm mais habitantes que o bairro. Benitez convidou Sérgio Júnior para dirigir uma das duas caminhonetes do GAT. Ficar ao volante parecia um serviço mais tranquilo.

Sérgio Júnior e os demais integrantes do GAT ouviram a proposta de Benitez. Eles deveriam abrir mão da receita de duas semanas do "espólio de guerra", o que somaria 20 mil reais, para contratar milicianos na comunidade de São José, na zona oeste do Rio. A milícia mataria Patrícia. Policiais corruptos e milicianos se diferenciam pelo fato de os primeiros apenas cobrarem arrego, a propina do tráfico, enquanto os segundos dominam territórios de favelas. Nos últimos anos, porém, as quadrilhas se misturaram nas narcomilícias, que o delegado Alexandre Capote detectara.

O tempo passava, e nada de o tenente fazer a prometida contratação dos milicianos. Até que, em junho, Patrícia determinou a prisão dos cabos C. A. e S. Q., os integrantes do GAT acusados de assassinar o jovem Diego. "Se já tivessem matado essa juíza, eles não estariam presos", reclamaram os policiais. Benitez reagiu à cobrança com outro plano, mais ousado ainda. Decidiu que ele mesmo mataria

Patrícia. Sérgio Júnior concordou em participar do crime, e, segundo delatou depois, os cabos Falcão e Jeferson Araújo também aderiram. Imediatamente, os quatro separaram uma parte do dinheiro do "espólio" disponível em caixa. Compraram por 4 mil reais uma moto Falcon e um Palio vinho, quatro portas de vidro escuro[70].

* * *

O trio Benitez, Falcão e Sérgio Júnior tomaram café da manhã com os colegas do batalhão após o plantão de vinte e quatro horas. Não foram para casa descansar, havia outro plano em andamento. Mais tarde, pilotando a moto Falcon, com Benitez na garupa, Sérgio Júnior partiu para o Fórum de São Gonçalo. Queriam saber se Patrícia chegara ao prédio para o expediente. Sem obter informação que prestasse, eles partiram para o bairro Tibau. Os dois chegaram à ponte da lagoa Piratininga quando faltavam quinze minutos para as 4 horas. Desconfiavam que a juíza estivesse em casa naquele dia por algum motivo.

Benitez desceu da moto e seguiu a pé. Calçava tênis branco, vestia calça clara e um casaco cinza de gola alta com o zíper fechado até o pescoço. Andava de cabeça baixa, procurando esconder o rosto com a aba do boné e os óculos escuros. Passou ao lado esquerdo da ponte rente à guarita de segurança do bairro-condomínio. Ninguém o incomodou. Seguiu em frente, virou a rua em direção à casa de Patrícia e sumiu de vista. Sérgio Júnior esperou e esperou. Passados vinte e cinco minutos, ele decidiu sondar o que acontecia. Atravessava a ponte com a moto quando enxergou o companheiro, que regressava. Sérgio Júnior virou o guidão para retornar. Benitez veio atrás, percorreu a ponte de volta e subiu na garupa. O carro da juíza não estava da garagem da casa. Bateu fome.

Os dois comeram na lanchonete próxima ao 7º Batalhão. Depois, encontraram o cabo Falcão, que guiava o Palio vinho. Telefonaram para Jeferson Araújo, mas ele não atendia o celular de jeito algum. Desfalcados do quarto homem, os três resolveram ir ao Fórum novamente. Sérgio Júnior mais uma vez pilotou a moto, parou na rua lateral do prédio. Benitez e Falcão no Palio estacionaram mais à frente. Sem tirar o capacete, o cabo entrou no carro.

Foi nesse momento que, pelo telefone, a advogada avisou que Patrícia decretara a prisão dos três. Tomados de raiva, decidiram executar o plano. O tenente guiaria a Falcon, mas alguém viria junto na garupa. Sérgio Júnior resistiu de início, mas depois topou. Quando o Fiat de Patrícia saiu do Fórum, Falcão o seguiu para conferir quem estava ao volante. Mais à frente, deixou a perseguição, dirigiu até a rua atrás do quartel da PM e, de lá, para um terreno deserto. Incendiou o carro para não deixar pistas.

Sérgio Júnior e Benitez continuaram no encalço. Na certeza de que Patrícia ia para casa, os dois a ultrapassaram, cruzaram a ponte da lagoa, onde circularam mais cedo, estacionaram a moto na rua, em local improvável de alguém avistá-la com facilidade. O tenente e o cabo ficaram escondidos atrás de uma Kombi velha. Logo viram o Fiat parar em frente à garagem. Calmamente, andaram em direção à porta do motorista.

Benitez portava um revólver calibre 357. Sérgio Júnior, uma pistola quarenta que pertencia ao Exército e fora desviada. Meses depois, a arma seria encontrada pela Polícia Federal na comunidade de São José, justamente a área onde Benitez pretendia contratar milicianos para matar Patrícia. Aos primeiros disparos, a pistola engasgou. Sérgio Júnior sacou outra, calibre quarenta, desviada da Polícia Civil e apreendida pelo GAT com criminosos do Complexo da Coruja.

Patrícia morreu com vinte e um tiros disparados por policiais militares que usavam armas do Exército e da Polícia Civil. A munição fora desviada do 7º Batalhão da PM.

* * *

Sérgio Júnior confessou o crime um mês e meio depois. A mulher dele assistiu ao interrogatório no canto da sala de audiências do

Fórum de Niterói. No dia anterior, ela, o marido e a filha pequena se encontraram na cela da Delegacia de Homicídios. A criança curtia o momento com os pais, mesmo naquele lugar estranho. Os pais conversavam baixinho e trocavam olhares, pensativos. O casal decidiu que era melhor confessar em troca de uma pena menor. Havia uma chance, pois o defensor público explicara o mecanismo da delação premiada. Sérgio Júnior queria demonstrar arrependimento pelo assassinato de Patrícia, mas, quando o juiz perguntou a razão de tantos tiros, ele não buscou palavras suaves: "Descarregava a minha raiva".

O cabo Jeferson Araújo resolveu colaborar também. Admitiu à Polícia Civil que rondara com Benitez a casa da juíza, no bairro Tibau, um mês antes do crime. Araújo tinha trinta e oito anos, onze na PM, oito deles em São Gonçalo. O nariz aquilino, a boca pequena e o discreto topete lhe davam um tom desafiador. Ele respondia a dez homicídios registrados como autos de resistência. Patrícia até lhe deu um voto de confiança. Para não prendê-lo, determinou que ele fizesse apenas tarefas administrativas dentro do quartel, até que as acusações fossem julgadas. Mas, quando assumiu o comando do 7º Batalhão, o coronel Cláudio mandou Araújo de volta às ruas. Primeiro, para o posto comunitário do Jardim Catarina e, depois, para o GAT.

Na delação premiada, em troca de redução no tempo de cadeia, o réu precisa entregar alguma novidade à polícia. Sérgio Júnior relatara em detalhes o assassinato de Patrícia. Pouco sobrara para Araújo contar, mas ele tinha uma carta na manga. Disse que Benitez lhe revelara uma conversa comprometedora com o coronel Cláudio. Diante da expectativa dos policiais que o ouviam, procurou reproduzir fielmente o diálogo que o coronel e o tenente tiveram:

— Coronel, o inspetor é um covarde! Tô com vontade de quebrar ele — disse Benitez. O tenente se referia a um investigador da delegacia de São Gonçalo, homem de confiança de Patrícia.

— Covardia se combate com covardia — respondeu o coronel.

— Isso se estende à juíza? — perguntou Benitez.

— Isso seria um favor — respondeu Cláudio e questionou: — Como faria?

— Eu e mais um.

— Isso mesmo. Só dois, porque mais de dois não têm segredo, entendeu? — disse o coronel.[71]

Os investigadores se agitaram na cadeira com o relato de Araújo. Ele fez um breve suspense e continuou a falar: Benitez tinha acesso direto a Cláudio, o coronel receberia parte da propina arrecadada com os traficantes. "E tem mais", disse Araújo. Patrícia perdeu todos os guarda-costas em represália à ordem de prisão contra o major que pertencia ao serviço de inteligência do 7º Batalhão e fora acusado de alterar a cena de um homicídio. "O coronel ficou irado. Surgiu o comentário de que ele era foda. Transferiu a escolta da juíza em retaliação", contou Araújo. O que se passou dentro da prisão ainda pertence ao mundo do mistério, mas, algum tempo após o depoimento, o delator voltou atrás no que dissera.

Ainda assim, Cláudio foi preso pelo envolvimento no assassinato de Patrícia. Ele negou, recorreu e insistiu, mas acabou no banco dos réus diante dos jurados. A morte de uma juíza na porta de casa e com vinte e um tiros já representava meia condenação, pois o júri atua no campo emocional. A Justiça condenou Cláudio a trinta e seis anos de prisão. No entendimento dos jurados, ele podia impedir o assassinato, mas, ao contrário disso, incentivou o tenente a matar[72]. O comandante-geral da PM pediu demissão. Sentia-se obrigado a deixar o cargo após a prisão do subordinado. Fora decisão pessoal sua a nomeação de Cláudio para dirigir o 7º Batalhão.

Benitez nunca confessou o crime. Muitas vezes, preferiu o silêncio durante a investigação. Ele recebeu a mesma pena aplicada ao coronel[73]. Sérgio Júnior ficaria trinta e três anos atrás das grades, mas a delação premiada reduziu para vinte e um anos[74]. Por auxiliar no planejamento do homicídio, Araújo pegou vinte e seis anos de prisão. O juiz afirmou que ele tinha bens incompatíveis com a renda de "servidor público" e praticava o "descarrego", queria dizer: registrava na PM mais disparos do que realmente efetuava em serviço para ficar com a munição. Motorista do Palio que seguiu Patrícia, Falcão foi condenado a vinte e cinco anos e seis meses de reclusão. Ao ler a sentença, o juiz lembrou que, na casa dele, a polícia achou quatro ou cinco papelotes de cocaína e maconha, parte do "espólio de guerra"[75].

* * *

A ONG norte-americana *Human Rights Watch* mandou uma carta ao então governador Sérgio Cabral. Comemorava a redução de 40% nos autos de resistência[76]. O número de mortos pela polícia caíra de 855 para 524, de 2010 para 2011, no Estado do Rio. Os dirigentes da ONG recomendaram investigação mais rigorosa dos casos em todos os municípios fluminenses, não apenas em São Gonçalo, onde Patrícia combateu o extermínio de inocentes até se tornar uma vítima também. Para especialistas em segurança pública, a carnificina diminuiu por causa da momentânea pacificação das favelas cariocas, que resultou em menos confrontos entre policiais e traficantes de drogas. Em 2012, no auge da pacificação, o número de mortes desse tipo havia caído para 419 casos. No mundo das estatísticas, podia ser uma boa notícia, mas, no cotidiano real, a situação continuava apavorante até voltar e superar a violência de antes. Durante 2016, a PM matou 925 pessoas, ou dezenove por semana, quase três por dia. Em 2017, os policiais cometeram 1.124 homicídios durante suas intervenções, principalmente em favelas, superando em muito a marca de 2010.

* * *

A associação dos juízes fluminenses criou o Prêmio Patrícia Acioli para homenagear trabalhos acadêmicos, reportagens e projetos sociais sobre direitos humanos. Mike Douglas e as irmãs, Clarinha e Duda, participaram da cerimônia anual de entrega do prêmio, que ocorreu no Theatro Municipal do Rio, numa noite de novembro de 2015. A nublada manhã seguinte encontraria os filhos ainda mais saudosos da mãe[77].

Mike é agora um jovem alto, de vinte e quatro anos, bastante educado e gentil, cuja barba não envelhece. Ele termina o curso de direito na Universidade Federal do Estado do Rio de Janeiro, nas imediações da Secretaria de Segurança Pública. A proximidade com o *bunker* da polícia não dispensa a quem caminha na rua a máxima cautela contra assaltos, há vários ali diariamente, avisa Mike.

O sol reaparece para tostar a pele dos estudantes que conversam no pequeno pátio lateral ao prédio da faculdade. Mike fala sobre a noite do assassinato de Patrícia. Faz uma pausa. Revela que tentou pegar o carro da babá de suas irmãs para perseguir os criminosos, porém acabou contido por vizinhos. A revolta ficou no passado. Não pensa mais em vingança. Seu objetivo é trilhar o caminho profissional de Patrícia. Ele quer ser juiz.

"Minha mãe nunca concordou que eu fizesse o curso de direito. Ela sabia que lidar com injustiças é uma estrada complicada", diz Mike, já dono de uma carteira da OAB de estagiário. "Eu tenho a minha mãe como um norte. Convivia com ela desde os meus três anos de idade." Quando se casou com Patrícia, Wilson trouxe o filho junto. "Só não posso ser juiz do Tribunal do Júri, senão meu pai me mata", graceja. Não sabe ainda se vai ser em São Gonçalo, mas deseja atuar no Estado do Rio. Ele quase deixou o Brasil após o assassinato da mãe. Passou uma temporada na Austrália, mas viver no exterior também saiu de seus planos.

Mike acha que Patrícia era uma esperança de Justiça. Ele explica por quê: "Quando você começa a transformar algo nefasto, mexe com pessoas que se consideram acima da lei. Esse ego [dos criminosos] é muito perigoso, mas minha mãe se transformou numa espécie de esperança. As pessoas sabiam que, se o processo ficasse na 4ª Vara Criminal, a Justiça seria feita".

Os policiais militares que mataram Patrícia agora despertam em Mike um sentimento de pena. Ele acredita que o assassinato supera a culpa daqueles homens: "O Estado é o único responsável por isso, independente de quem puxou o gatilho". Patrícia tentou suprir a ausência do poder público na pobre São Gonçalo. Quando podia, fazia até o papel de assistente social. Percebeu que precisava ser juíza rigorosa e, ao mesmo tempo, quase uma policial, uma investigadora dos homicídios cometidos pela PM. Eles tinham as armas; e ela, a caneta. Sucateadas, abarrotadas de inquéritos e de agentes desmotivados, as delegacias da Polícia Civil fluminense não desvendam nem assassinatos executados por bandidos comuns, quanto mais os que envolvem policiais militares. A impunidade favorece a máfia do jogo ilegal, os traficantes de drogas e os narcomilicianos. Essas organizações criminosas arregimentam policiais corruptos para garantir proteção a elas e matar adversários. Patrícia virou a inimiga número 1. Esse sistema puxou o gatilho.

Mike e suas irmãs seguiram a vida. As meninas se tornaram adolescentes de cabelos longos e sorriso aberto, muito parecidas com Patrícia. Ela certamente gostaria de vê-las assim tão bonitas, mas sem a cicatriz que levam na alma. O temor nunca desaparecerá por completo. Mike explica: "Até hoje ninguém da família anda confiante nas ruas. Às vezes, a gente escuta algum tipo de estalo, e voltamos a pensar nos vinte e um tiros".

DOCUMENTOS
BIBLIOGRÁFICOS

Primeira Parte
A máfia dos jogos

[1] Procedimento da Divisão de Homicídios da Polícia Civil do Rio de Janeiro.

[2] Documento do Sistema de Roubos e Furtos de Veículos do Estado do RJ. Procedimento da Delegacia de Atendimento à Mulher da Polícia Civil do Rio de Janeiro, na Zona Oeste, em 9 de junho de 2008.

[3] Depoimentos dos policiais militares e de testemunhas da explosão da bomba prestados no procedimento da Divisão de Homicídios da Polícia Civil do Rio de Janeiro, folhas 17 a 40.

[4] Registro de Ocorrência da Divisão de Homicídios da Polícia Civil do Rio de Janeiro, 2010.

[5] Laudo técnico do Esquadrão Antibomba — Coordenadoria de Recursos Especiais (Core) da Polícia Civil do Rio de Janeiro.

[6] Jornal *O Globo*, reportagem de 1998.

[7] Jornal *O Globo*, reportagem de 1998.

[8] Denúncia do Ministério Público do Estado do Rio de Janeiro, por intermédio do Grupo de Atuação Especial de Combate ao Crime Organizado (GAECO/RJ), relativa ao inquérito da Polícia Civil número 120/2010, página 10.

[9] MISSE, M — *Mercados ilegais, redes de proteção e organização local do crime no Rio de Janeiro* — Estudos Avançados 21, 2007.

[10] Entrevista programa de TV.

[11] Ação penal da 6ª Vara Federal Criminal do Rio de Janeiro. Sentença, páginas 263 a 264.

[12] Ação penal da 6ª Vara Federal Criminal do Rio de Janeiro. Sentença, páginas 256 a 260.

[13] Ação penal da 6ª Vara Federal Criminal do Rio de Janeiro. Sentença, página 245.

[14] Informação 029/2006 do Departamento de Polícia Federal — Superintendência Regional no Estado do Rio de Janeiro.

[15] Petição de advogado em 2007. Notícia publicada pelo site oficial do Supremo Tribunal Federal em 23 de janeiro de 2003.

[16] Jornal O *Globo*, reportagem de outubro de 2006.

[17] Jornal O *Globo*, de novembro de 2005, e projeto de Resolução da Assembleia Legislativa do Rio de Janeiro.

[18] *Habeas corpus* do Superior Tribunal Federal, julgado em março de 2011.

[19] Jornal O *Globo*, de agosto de 2014.

[20] Informe da Justiça Federal do Rio de Janeiro de 2009.

[21] Relatório de Inteligência SPI/SR/DPF/RJ elaborado pelo Departamento de Polícia Federal, em de 21 de julho de 2010.

[22] Defesa do advogado no processo da 3ª Vara Criminal Federal do Rio de Janeiro.

[23] Relatório de Inteligência SIP/SR/DPF/RJ elaborado pelo Departamento de Polícia Federal, em 7 de outubro de 2010.

[24] Certidão do Conselho Nacional de Justiça — Banco Nacional de Mandados de Prisão, expedida em 10 de março de 2016.

[25] Sentença de processo da 3ª Vara Federal Criminal do Rio de Janeiro, página 23.

[26] Relatório de Inteligência Policial RIP — Operação Bomba — do Departamento de Polícia Federal, de 3 de março de 2011.

[27] Ficha da Interpol, impressa em 27 de novembro de 2014.

[28] Relatório da DEA (agência de combate às drogas) dos Estados Unidos.

[29] Ofício número da Embaixada dos Estados Unidos enviado ao Ministério de Relações Exteriores do Brasil, em novembro de 2006.

[30] Ofício do Departamento de Polícia Federal — Superintendência Regional do Paraná, de dezembro de 2006, enviado à Justiça.

[31] Informação 004/2010 — Operação Bomba — documento elaborado pelo Setor de Inteligência Policial do Departamento de Polícia Federal no Rio de Janeiro, em janeiro de 2011.

[32] Sentença de processo da 3ª Vara Federal Criminal do Rio de Janeiro.

[33] Ofício enviado ao ministro da Justiça pela 3ª Vara Federal Criminal do Rio de Janeiro, em 21 de novembro de 2011.

[34] Relatório de Inteligência Policial elaborado pelo Departamento de Polícia Federal no Rio de Janeiro, em 7 de outubro de 2010.

[35] Sentença da 3ª Vara Federal Criminal do Rio de Janeiro.

[36] Informação sobre investigação no procedimento da Divisão de Homicídios da Polícia Civil do Rio de Janeiro.

[37] Informação sobre investigação no procedimento da Divisão de Homicídios da Polícia Civil do Rio de Janeiro.

[38] Jornal *Extra*, de março de 2014 e setembro de 2014.

[39] Conselho Nacional de Justiça — Cadastro Nacional de Mandado de Prisão, certidão de dezembro de 2014.

[40] Processo criminal do Tribunal de Justiça do Rio de Janeiro.

[41] *Habeas corpus* no Tribunal de Justiça do Rio de Janeiro.

Segunda parte
Estado Negro — o poder do narcotráfico

[1] "A união do crime contra as UPPs", Vera Araújo, jornal *O Globo*, em 24 de novembro de 2010.

[2] Jornal *O Globo*, de maio de 2001.

[3] Dados do Instituto de Segurança Pública do Rio de Janeiro.

[4] Sentença de juiz federal em 27 de setembro de 2010.

[5] Denúncia da 27ª Promotoria de Investigação Penal contra Luiz Fernando da Costa, em 29 de fevereiro de 2000, referente ao inquérito 1397/99 da 59ª Delegacia da Polícia Civil.

[6] "Os novos donos do tráfico", Hudson Corrêa e Leonardo Souza, revista ÉPOCA, 3 de outubro de 2011.

[7] Laudo Pericial solicitado pela 4ª Vara Criminal de Duque de Caxias, referente aos processos 2000.021.008788-2 e 2000.021.003044-6 — do Instituto de Processamento e Pesquisa de Som, Imagem e Texto — Laboratório de Fonética Forense e Processamento de Imagens.

[8] Defesa apresentada por advogados no processo criminal 2000.021.003044-6.

[9] Notícia do Tribunal de Justiça do Rio de Janeiro referente a processo, publicada em 22 de outubro de 2015.

[10] Processo da 2ª Vara Federal Criminal de Curitiba (PR). Sentença de 25 de agosto de 2008.

[11] Jornal *Folha de S.Paulo*, 4 de janeiro de 2011.

[12] Relatório Final da Operação Estado Negro/Guilhotina referente ao Inquérito Delearm/DRCOR/SR/DPF/RK — de fevereiro de 2011.

[13] Relatório da Polícia Federal relativo à Operação Estado Negro, de 2 de dezembro de 2010.

[14] Relatório da Polícia Federal relativo à Operação Estado Negro, de 17 de fevereiro de 2011.

[15] Relatório Final da Operação Estado Negro/Guilhotina. Inquérito Delearm/DRCOR/SR/DPF/RK — 17 de fevereiro de 2011.

[16] "Segurança do Rio apura desvio de armas e drogas", Diana Brito e Hudson Corrêa, jornal *Folha de S.Paulo*, 1º de dezembro de 2010.

[17] Panfleto distribuído pelo Exército nos Complexos do Alemão e Vila Cruzeiros no começo de 2011.

[18] Fotos do Exército que registram pichação e grafite em muro do Complexo do Alemão, obtidas por Hudson Corrêa e Diana Brito.

[19] Informação de declarações de Imposto de Renda de Antonio Francisco Bonfim Lopes, conhecido como Nem, e entregue por fonte a Hudson Corrêa e Diana Brito.

[20] Vídeos com depoimentos de testemunha no processo criminal da Justiça Estadual do Rio de Janeiro, movido contra Antonio Francisco Bonfim Lopes.

[21] Depoimento à 32ª Vara Criminal do Rio de Janeiro.

[22] PF apura existência de "caixinha" do tráfico para pagar policiais. A investigação começou com a descoberta de um informante da Polícia Civil que seria também o responsável pela revenda, para o tráfico, de armas apreendidas em operações policiais. Diana Brito, *Folha de S. Paulo*, 28 de agosto de 2010.

[23] Vídeos com depoimentos de testemunhas relativos a processo da 39ª Vara Criminal do Rio de Janeiro.

[24] Sentença de processo da 39ª Vara Criminal do Rio de Janeiro.

[25] *E-mails* trocados entre o então governador Sérgio Cabral e o líder comunitário. As mensagens foram entregues aos autores pelos advogados do líder.

[26] Gravação da conversa entre o major e um líder comunitário da Rocinha, logo após desaparecimento do pedreiro Amarildo.

[27] Sentença no processo da 35ª Vara Criminal do Rio de Janeiro que condenou os acusados de matar o pedreiro Amarildo.

[28] Entrevista do secretário de Segurança Pública a Hudson Corrêa e Diana Brito, em dezembro de 2012.

[29] "Figueiredo entrega primeiras casas do Projeto Rio", jornal *O Globo*, em 10 de setembro de 1982.

[30] Jornal *Folha de S.Paulo*, em 8 de abril de 1997.

[31] Relatório Final, concluído em 23 de agosto de 2012, do procedimento da Divisão de Homicídios da Polícia Civil do Rio de Janeiro.

[32] Nota do Palácio do Planalto de 25 de julho de 2012.

[33] "Um policial militar foi morto em serviço por mês, em 2015, nas UPPs", jornal *Extra*, Paolla Serra, 8 de dezembro de 2015.

[34] Pesquisa do Centro de Estudos de Segurança e Cidadania (CESeC) da Universidade Candido Mendes (UCAM) sobre UPPs em 2014.

[35] Nota do Tribunal de Justiça do Rio de Janeiro.

[36] Entrevista com um dos médicos da UPA da Vila do João, no Centro Cultural da Justiça Federal, no Rio de Janeiro em 2012, a Diana Brito.

[37] Entrevista do então suplente de deputado na casa dele, a sessenta quilômetros do Rio de Janeiro, no final de 2012, a Hudson Corrêa e Diana Brito.

[38 e 39] Fotos do posto de policiamento na Vila do João, no Complexo da Maré, tiradas pelos autores do livro em outubro de 2012.

[40] Entrevista da professora E. S., no Complexo da Maré em 2012.

Terceira parte
As narcomilícias

[1] Relatório final da CPI "destinada a investigar a ação de milícias no âmbito do Estado do Rio de Janeiro", na Assembleia Legislativa (novembro de 2008).

[2] Depoimento de Pâmela, em 21 de janeiro de 2006, no procedimento da 30ª Delegacia da Polícia Civil do Rio de Janeiro.

[3] Segundo depoimento de Pâmela, em 24 de janeiro de 2006, no procedimento da 30ª Delegacia da Polícia Civil do Rio de Janeiro.

[4] Segundo depoimento de Pâmela, em 24 de janeiro 2006, no procedimento da 30ª Delegacia da Polícia Civil do Rio de Janeiro.

[5] Dossiê obtido pelo delegado Alexandre Capote e registro no Ministério Público do Rio de Janeiro, em 20 de agosto de 2007.

[6] Termo de declaração de Pâmela na Delegacia de Homicídios do Rio de Janeiro, em 16 de fevereiro de 2006, no inquérito da Delegacia de Homicídios.

[7] Termo de declaração de Pâmela no procedimento da 30ª Delegacia de Polícia Civil do Rio de Janeiro.

[8] Depoimento à Justiça Estadual no processo da 2ª Vara Criminal do Rio de Janeiro.

[9] Informação de promotor de Justiça sobre homicídios impunes no Rio de Janeiro.

[10] Sentença no processo da 1ª Vara Criminal Regional de Campo Grande — Comarca do Rio de Janeiro.

[11] Vídeo do governador Sérgio Cabral, exibido nas eleições de 2010.

[12 e 13] Entrevista da então vereadora Minha, a Hudson Corrêa, na campanha de 2012.

[14] Sentença do Tribunal do Júri no processo contra o policial J.

[15] Notícia do Portal G1, publicada em agosto de 2009.

[16] "Polícia prende vereador acusado de chefiar milícia em Jacarepaguá", jornal *Extra*, em dezembro de 2009.

[17] *Diário Oficial do Estado do Rio de Janeiro*, de 27 de janeiro de 2010.

[18] Pedido de licença apresentado pelo delegado Alexandre Capote em 29 de janeiro de 2010.

[19] Apelação Criminal da 1ª Vara Criminal de Duque de Caxias (RJ).

[20] Registro na Receita Federal da empresa L. H. C. G.

[21] Relatório Final do inquérito policial da Draco/IE, de 2 de dezembro de 2010.

[22] Relatório Final do inquérito policial da Draco/IE, de 2 de dezembro de 2010.

[23] Decisão na ação penal do Tribunal de Justiça do Rio de Janeiro, tomada por desembargador, em 15 de dezembro de 2010.

[24] Acervo do jornal *O Globo*: "Tenório Cavalcanti comandou o império do terror na Baixada Fluminense", publicado em 21 de outubro de 2013.

[25] Reportagem do programa *Balanço Geral*, da TV Record: "Operação contra a milícia", com imagens do repórter Marcos Pinudo e produção de Robson Machado.

[26] Reportagem do programa *Balanço Geral*, da TV Record: "Operação contra a milícia", com imagens do repórter Marcos Pinudo e produção de Robson Machado.

[27] Registro de Ocorrência na 60ª Delegacia de Polícia de Campos Elíseos — RJ.

[28] Ofício de 7 de fevereiro de 2011, do delegado substituto da Draco, Alexandre Capote, para o secretário de Estado de Segurança do Rio de Janeiro.

[29] Jornal *Folha de S.Paulo*, de fevereiro de 2011. Jornal *O Globo*, de fevereiro de 2011.

[30] Documento anônimo que trazia acusações contra o delegado C. F.

[31] *E-mail* da Assessoria de Comunicação da Secretaria de Estado de Segurança do Rio de Janeiro informando sobre o afastamento de C. F.

[32] Relatório de Transmissão Interna de Conhecimento de 6 de dezembro de 2011.

[33] Jornal *O Globo*, setembro de 2011.

[34] Depoimento à Divisão de Homicídios, em 16 de agosto de 2012.

[35] Denúncia da 23ª Promotoria de Investigação Penal apresentada, em 19 abril de 2013.

[36] Termo de Declaração, em 4 de abril de 2013, no inquérito policial da Divisão de Homicídios.

[37] Acórdão do Tribunal de Justiça do Rio de Janeiro.

[38] Concurso para ingresso na Magistratura de Carreira no Estado do Rio de Janeiro: convocação dos candidatos para prova de 27 de novembro de 2011.

[39] "Juízes estaduais e promotores: eles ganham 23 vezes mais do que você", Raphael Gomide com Lívia Cunto Salles, revista ÉPOCA, 12 de junho de 2015.

[40] Resolução da Secretaria de Estado de Segurança nº 615 de 31 de outubro de 2012.

[41] Sentença do processo da 2ª Vara Criminal de Duque de Caxias.

Quarta Parte
A luta de Patrícia

[1] "Desprezados, doentes e com medo", Hudson Corrêa e Raphael Gomide, revista ÉPOCA, 4 de fevereiro de 2016.

[2] "Juíza quer fechar o Padre Severino", Renato Garcia, jornal *O Globo*, 25 de fevereiro de 1997.

[3] "Afastada a juíza que ameaçou fechar instituto", jornal *O Globo*, 1º de março de 1997.

[4] "Estado quer botar menores para dormir no chão no Instituto Padre Severino", jornal *O Globo*, 26 de março de 1997.

[5] "CNJ pede desativação do Instituto Padre Severino no Rio", notícia do Conselho Nacional de Justiça, 14 de outubro de 2011.

[6] Mapa de Pobreza e Desigualdade — municípios brasileiros 2003 — IBGE (Instituto Brasileiro de Geografia e Estatística) — São Gonçalo.

[7] Mapa de Pobreza e Desigualdade — municípios brasileiros 2003 — IBGE (Instituto Brasileiro de Geografia e Estatística) — Itaboraí.

[8] Depoimento de Patrícia Lourival Acioli à 2ª Delegacia de Polícia Judiciária Militar em 26 de fevereiro de 2002.

[9] Ofício de Patrícia Lourival Acioli ao diretor da Coordenadoria Militar do Tribunal de Justiça do Estado do Rio de Janeiro, em 17 de outubro de 2006.

[10] "Milícias tomam lugar do tráfico nas favelas", jornal *Folha de S.Paulo*, 29 de dezembro de 2006.

[11] "Em 20 horas, foram 18 mortos e 23 feridos. Terror que começou de madrugada se estende pelo dia, com ônibus queimados e cabines da PM e delegacias metralhadas", jornal *O Globo*, 29 de dezembro de 2006.

[12] Ofício de Patrícia Lourival Acioli ao diretor da Diretoria-Geral de Segurança do Tribunal de Justiça RJ, em 13 de fevereiro de 2007.

[13] Ofício de Patrícia Lourival Acioli a juiz auxiliar da Presidência do Tribunal de Justiça do Rio de Janeiro.

[14] Ocorrências registradas pelo Disque Denúncia às 19h58 de 28 julho de 2008, às 13h55 de 10 de junho de 2008 e às 16h04 de 23 de maio de 2008.

[15] Procedimento arquivado em 13 de março de 2009.

[16] Processo judicial, decisão de 17 de junho de 2009.

[17] Ofício nº 342/2009 da Delegacia da Polícia Federal em Niterói, em 9 de julho de 2009, para Patrícia Lourival Acioli com relatório reservado.

[18] Sentença no processo, em 11 de novembro de 2010.

[19] Entrevista com R. S., a mãe de V. S. G.

[20] Termo de Declaração de E. A. S. no inquérito da 72ª Delegacia da Polícia Civil, em 25 de maio de 2010.

[21] Denúncia do Ministério Público do Estado do Rio de Janeiro referente ao inquérito 2349/2010 em 30 de junho de 2011.

[22] Termo de Declaração de J. no inquérito da 72ª Delegacia da Polícia Civil, em 25 de maio de 2010.

[23] Termo de declaração de R. C. C. S. no inquérito policial da 72ª Delegacia da Polícia Civil, em 18 de maio de 2010.

[24] Termo de Declaração no Registro de Ocorrência da 72ª Delegacia da Polícia Civil, em 11 de maio de 2010.

[25] Termo de Declaração no inquérito da 72ª Delegacia da Polícia Civil, em 25 de maio de 2010.

[26] Auto de Exame Cadavérico nº SG/SN/678/2010, de 9 de maio de 2010.

[27] Termo Circunstanciado de 9 de maio de 2010, na 74ª Delegacia da Polícia Civil.

[28] Balanço das Incidências Criminais e Administrativas no Estado do Rio de Janeiro (2010), elaborado pelo Instituto de Segurança Pública (ISP).

[29] "Corregedorias das polícias têm infraestrutura precária para investigar mortes", Alessandra Duarte e Carolina Benevides, jornal *O Globo*, 3 de novembro de 2013.

[30] Foto do topo do lixão da Fazenda dos Mineiros (Hudson Corrêa), abril de 2012.

[31] Representação por prisão de natureza cautelar, temporária e busca e apreensão, referente aos inquéritos, em 8 de setembro de 2010.

[32] Depoimento à 2ª Promotoria de Justiça junto à 4ª Vara Criminal de São Gonçalo, em 10 de setembro de 2010.

[33] Depoimento, em 10 de setembro de 2010, no processo 2010.8.19.0004.

[34] Folha de Antecedentes Criminais no inquérito 4151/2010.

[35] Termo de Delação Premiada, em 2 de junho de 2011.

[36] Escuta telefônica feita com autorização da 4ª Vara Criminal de São Gonçalo.

[37] Termo de Delação Premiada, em 2 de junho de 2011.

[38] Escuta telefônica feita com autorização da 4ª Vara Criminal de São Gonçalo.

[39] Decisão de Patrícia Acioli de mandar prender o "Bonde do Zumbi", em 9 de setembro de 2010.

[40] Termo de nomeação de oficial de Justiça *Ad Hoc* no processo 2010.8.19.0004.

[41] Vídeo da prisão de Zumbi gravado por policiais civis e obtido por Hudson Corrêa, divulgado na Revista ÉPOCA.

[42] Denúncia do Ministério Público contra Zumbi, em 12 de novembro de 2010.

[43] Defesa apresentada pelo advogado no processo 2010.8.19.0004, em 8 de agosto de 2011.

[44] Escuta telefônica feita com autorização da 4ª Vara Criminal de São Gonçalo.

[45] Jornal *EXTRA*, 10 de setembro de 2015.

[46] Termo de inquirição de informante no processo 1036362-90.2011.8.19.0002.

[47] Depoimento de Patrícia Lourival Acioli à 2ª Delegacia de Polícia Judiciária Militar, em 25 de março de 2011.

[48] Termo de Inquirição de Testemunha no processo 1036362-90.2011.8.19.0002.

[49] Termo de Declaração de Mike Douglas Muniz Chagas, no procedimento 901-01179/2011, em 13 de agosto de 2011.

[50] Depoimento de I. M. C. à 1ª Promotoria de Investigação Penal em 1º de setembro de 2011.

[51] Denúncia do Ministério Público contra C. A., em 10 de agosto de 2011.

[52] Consulta Médico Legal SG/CM/8220/2011 referente ao Registro de Ocorrência 074-05097/2011.

[53] Auto de Resistência em 3 de junho de 2011, na 72ª Delegacia da Polícia Civil.

[54] Termo de Declaração, em 10 de junho de 2011, no inquérito 390/072/2011, na 72ª Delegacia da Polícia Civil.

[55] "Você matou meu filho, homicídios cometidos pela Polícia Militar na cidade do Rio de Janeiro", Anistia Internacional, 2015.

[56] Consulta Médico Legal referente ao Registro de Ocorrência 074-05097/2011.

[57] Pedido do Ministério Público no processo 1633947-79.2011.8.19.0004, da 4ª Vara Criminal de São Gonçalo.

[58] Depoimento de C. A., no inquérito da 72ª Delegacia da Polícia Civil em São Gonçalo.

[59] Decisão de Patrícia Lourival Acioli, em 16 de junho de 2011, no processo 1633947-79.2011.8.19.0004, da 4ª Vara Criminal de São Gonçalo.

[60] Termo de Declaração de policial militar, em 30 de setembro de 2011, no procedimento 901-01179/2011 da Divisão de Homicídios.

[61] Sentença em processo da 4ª Vara Criminal de São Gonçalo, em 9 de agosto de 2011.

[62] Termo de inquirição da testemunha no processo 1036362-90.2011.8.19.0002.

[63] "Filho de juíza morta também foi alvo de ameaça há 3 meses", Sérgio Torres, jornal *O Estado de S. Paulo*, 24 de agosto de 2011.

[64] Termo de Inquirição da testemunha de advogada no processo 1036362-90.2011.8.19.0002.

[65] Decisão da 4ª Vara Criminal de São Gonçalo no processo 1633947-79.2011.8.19.0004.

[66] Termo de inquirição da testemunha no processo 1036362-90.2011.8.19.0002.

[67] Termo de declaração do policial militar Sérgio Costa Júnior, em 25 de setembro de 2011, no procedimento 901-01179/2011 da Divisão de Homicídios.

[68] "O batalhão do gatilho. Quartel da PM em São Gonçalo lidera denúncias do uso de autos de resistência para encobrir execuções", Daniel Brunet, jornal *O Globo*, 12 de setembro de 2010.

[69] *Habeas corpus* do Tribunal de Justiça do Rio de Janeiro.

[70] Volume 9 do processo 1036363-90.2011.8.19.0002, da 3ª Vara Criminal de Niterói, página 119, delação premiada de Sérgio Costa Júnior.

[71] Termo de Declaração de Jeferson de Araújo Miranda no procedimento 901-01179/2011 da Divisão de Homicídios.

[72] Sentença condenatória de Cláudio Luiz Silva de Oliveira no processo 1036363-90.2011.8.19.0002, da 3ª Vara Criminal de Niterói, em 20 de março de 2014.

[73] Sentença condenatória de Daniel Santos Benitez Lopes no processo 1036363-90.2011.8.19.0002, da 3ª Vara Criminal de Niterói, em 6 de dezembro de 2013.

[74] Sentença condenatória de Sérgio Costa Júnior no processo 1036363-90.2011.8.19.0002, da 3ª Vara Criminal de Niterói, em 4 de dezembro de 2012.

[75] Sentença condenatória de Jeferson de Araújo Miranda no processo de 1036363-90.2011.8.19.0002, da 3ª Vara Criminal de Niterói, em 30 de janeiro de 2013.

[76] Carta da *Human Rights Watch* ao governador Sérgio Cabral em 14 de junho de 2012.

[77] Entrevista de Mike Douglas Muniz Chagas, em novembro de 2015, a Hudson Corrêa e Diana Brito.

INFORMAÇÕES SOBRE A
GERAÇÃO EDITORIAL

Para saber mais sobre os títulos e autores
da **GERAÇÃO EDITORIAL**,
visite o *site* www.geracaoeditorial.com.br
e curta as nossas redes sociais.

Além de informações sobre os próximos lançamentos,
você terá acesso a conteúdos exclusivos
e poderá participar de promoções e sorteios.

🏠 geracaoeditorial.com.br

f /geracaoeditorial

🐦 @geracaobooks

📷 @geracaoeditorial

Se quiser receber informações por *e-mail*,
basta se cadastrar diretamente no nosso *site*
ou enviar uma mensagem para
imprensa@geracaoeditorial.com.br

GERAÇÃO EDITORIAL

Rua João Pereira, 81 – Lapa
CEP: 05074-070 – São Paulo – SP
Telefone: (+ 55 11) 3256-4444
E-mail: geracaoeditorial@geracaoeditorial.com.br